Посвящается моей Валентине

Иона Андронов

Русская любовь янки Джо

Мемуарные рассказы

Москва
2011

УДК 82-3
ББК 84-44
А 661

Андронов И.

А 661   Русская любовь янки Джо / Мемуарные рассказы. – М.: ООО «Издательство "Спорт и Культура – 2000"», 2011. – 208 с.

ISBN 978-5-91775-042-2

Эта книга журналиста Ионы Андронова – сборник его мемуарных рассказов. Книга рассчитана на массового читателя. Все публикуемые в книге факты, события, имена – подлинные.

Глава первая: трагическая история любви американца из Нью-Йорка и русской девушки из Подмосковья в годы холодной войны. Глава вторая: публикация трофейных документов гитлеровского Абвера и шефа СС Гиммлера об убийстве старшего сына И.В. Сталина в германском плену. Остальные главы – это печальные и забавные истории наших современников в Соединенных Штатах и в России.

УДК 82-3
ББК 84-44

ISBN 978-5-91775-042-2

СОДЕРЖАНИЕ

ПРЕДИСЛОВИЕ
ВЛАДИМИРА ТРОФИМОВА

С Ионой Ионовичем Андроновым я сначала познакомился заочно. Тогда, в далекие семидесятые годы прошлого века, я был еще начинающим дипломатом. Порядки в стране были не то, чтобы людоедские, но в общем-то жесткие. Просто так, в открытой прессе, трудно было встретить реальные оценки политических событий. Тем не менее, в том кругу, где я вращался, таких ограничений, в целом, не было. Мы свободно и без обиняков обсуждали как внешнеполитический курс СССР, так и особенности той или иной высокой политической фигуры. Никакой обстановки доносительства или преследований за самые жесткие высказывания не было. Может, доносительство и было, но мер ни в каком виде никто к нам не принимал. Да иначе и быть не должно. Если даже во внешнеполитическом ведомстве будут ограничения по части свободы высказываний, то тогда добра в международных делах уж точно не жди.

Собственно говоря, свобода слова началась для меня еще в институте. Уже там преподаватели с высокой кафедры внушали достаточно прагматичный подход к будущей работе. Я бы даже сказал, цинично-прагматичный. Все, что выгодно для населения твоей страны, это пойдет в дело. А общие рассуждения про международную дружбу, сотрудничество, взаимопомощь, равенство и прочие красивые слова следовало оставить для официальной трибуны. Говорить их полагалось, но руководствоваться следовало в первую очередь выгодой для собственного государства и народа. Во всяком случае, именно так меня учили в институте.

И вот в ту пору на глаза мне попался номер «Литературной газеты». Надо сказать, что это издание было одним из немногих, если не единственным, которое публиковало более или менее человеческие материалы на всякие политические темы. В том числе и на международные. Сказать честно, я и сейчас не понимаю, почему надо было скрывать от собственного народа реальную ткань политики. Во-первых, при желании все равно можно было найти что-то более или менее правдивое по радио или в каких-то полунаучных изданиях. Во-вторых, люди и сами были не такие уж и безголовые. Меня в этой связи все время преследовало чувство, что руководство страны считает собственный народ за сборище каких-то полупридурков, которым, если сказать правду, то они просто сойдут с ума. Кажется, и в наше время не слишком многое тут изменилось.

Однако вернемся к газете. Открыв очередной номер, я увидел статью на международную тему, подписанную «И. Андронов». И не зря говорят, что птицу видно по полету. Хоть статья была не слишком большой, однако сразу было видно, что человек знает, о чем пишет. И я искренне проникся уважением к этому незнакомому мне человеку.

Зависимость бывает разная. Нередко мы говорим о неприятной, нежелательной зависимости. Однако случается и иначе. Какой-то человек высказывает умные мысли, и это вдруг проникает в самую душу. Хочется слушать его снова и снова. Ничего зазорного или неприятного в этом нет. Просто другой человек говорит то, что перекликается с твоими собственными мыслями и убеждениями. Вот именно это и произошло со мной.

Короче, я надолго уехал за границу, причем далеко. Туда наши газеты ходили с большим запозданием, поэтому каждую неделю друзья из Москвы присылали обычной почтой страницу «Литературки» с международными обзорами, которую я исключительно жадно читал. Тогда я однако еще не знал, что однажды судьба сведет меня с Ионой Андроновым лично, причем при довольно критических обстоятельствах.

Тем не менее, такое однажды случилось. Я был уже маститым дипломатом и участвовал в серьезных мероприятиях. В том числе однажды принял участие в переговорах в рамках СНГ на уровне глав государств. От нас был Ельцин. Конечно, такие как я «шерпы» сидели не вместе с президентами, а в соседней комнате, куда была проведена прямая трансляция. Кроме дипломатов там были военные и пограничники. Решались вопросы раздела военного имущества, заграничной собственности, а также кое-какие пограничные вопросы.

Конечно, я знал, что наш президент, мягко говоря, со странностями. Но то, что я увидел, было просто немыслимо. Мы все на рабочем уровне готовили позиции по своим вопросам. Когда в ходе переговоров возникал тот или иной вопрос, министр иностранных дел Козырев должен был класть перед Б.Н. подготовленные нами записки, так называемые памятки. Надо отметить, что мы свои памятки писали на «пятерку». С их помощью даже человек средних умственных способностей мог отстоять интересы своей страны. В них все было выписано, как для умственно отсталых людей: «Если скажут это, то надо ответить так, а если скажут по-другому, то надо ответить вот так».

Однако памятки не пригодились, Козырев сидел с ними сзади Ельцина, сжавшись в комок. А тот с этаким хозяйским видом большого барина раздавал направо и налево нашу государственную собственность. При этом нужды в такой «доброте» не было никакой. Уже на рабочем уровне мы заранее договорились с нашими зарубежными партнерами, что и как делить.

Но не таков был Борис! Его просто несло. Он, размахивая руками, громогласно занимался раздачей всего, что попадало под руку. Когда очередь доходила до того или иного вопроса, надо было видеть нашу комнату. После очередных слов президента у нас со своих мест непроизвольно вскакивали то военные, то пограничники. Люди не могли усидеть на месте, они вскакивали и что-то даже выкрикивали. А речь шла о миллиардах долларов. Дошла очередь и до нашей загрансобственности. Ее Боря тоже начал без разбору раздавать тем и другим. Но тут произошел особый эпизод. Киргизский президент заартачился, что-то ему показалось мало. И предложил перенести решение вопроса на месяц. Тогда все оставшиеся президенты стали говорить ему наперебой примерно следующее: «Сейчас Ельцин нам все это дает, а что будет через месяц, еще не известно, поэтому надо ковать железо, пока горячо». В переводе с дипломатического языка это означало, что за столом сидит дурак, и надо хватать все, что он дает, не мешкая и не торгуясь.

Все это говорилось прямо в лицо Ельцину, причем на хорошем русском языке. Я ожидал, что вот уж тут-то наш лидер поймет, что он делает что-то не то, и согласится отложить вопрос. Но Ельцин сидел, насупившись, и было непонятно, сознает ли он вообще, что перед ним происходит.

Короче, это зрелище оказалось не для таких слабонервных, как я. Через несколько дней я написал заявление по собственному желанию и перешел на работу в Верховный Совет. Благо, что меня туда звали. Звали и других, но было понятно, что депутаты пытаются сохранить страну вопреки безумному президенту, который может запросто что-то выкинуть. Переходить было рискованно, и я оказался единственным сотрудником МИДа, кто на это решился.

Именно там, в Верховном Совете я и встретил Андронова. Тогда он был заместителем председателя Комитета по международным делам. Мне предстояло проработать с ним плечом к плечу еще довольно долго. Надо отметить, что среди депутатов было много таких, которые искренне желали добра своему народу. Но в подавляющем большинстве это были случайные люди без хорошего профессионального образования. Они просто не знали, с помощью каких средств можно добиваться тех или иных целей. Иона Андронов по своим профессиональным качествам был выше других не то, что на голову, а на все три головы. Во многом именно через него и шло решение международных вопросов. Конечно же, я сразу стал помогать в первую очередь именно ему. И должен сказать, что практически все то, что в международных делах успел сделать Верховный Совет, это во многом была заслуга именно лично Ионы Ионовича.

Конечно, многое мы не успели. Например, совсем незадолго до бронетанкового расстрела резиденции Верховного Совета появилась возможность реанимировать вопрос о соглашениях по имуществу военных в Германии и на полном законном основании вернуть в страну многомиллиардную сумму, в свое время подаренную немцам Горбачевым. Однако нам на это не дали времени. Путчисты уже готовились к военному перевороту.

В осажденном Белом доме я сидел до последнего, делал, что мог. А председателем Комитета по международным делам был избран Андронов. Если бы мы победили, страна получила бы министра иностранных дел, которым бы гордилась вовеки. Но судьба распорядилась иначе. За несколько часов до штурма мне стало ясно, что будет мясорубка. И я вышел, что было исключительно тяжелым решением, которое мучает меня до сих пор. Но в той ситуации жертва моей жизни была бы просто напрасной. А Андронов остался. И боролся до конца. В том числе и за жизни защитников Белого дома. Не сомневаюсь, что, если бы не действия Ионы Ионовича, жертв было бы куда больше. Хотя их и так было более чем достаточно, какие там полторы сотни человек, согласно официальной версии!

По биографии Андронова можно изучать историю Советского Союза, начиная с пятидесятых годов. Это не просто журналист. Это журналист с большой, очень большой буквы. Не зря многие шептались, что фамилия Андронова, это на самом деле псевдоним самого всесильного шефа КГБ Андропова. Для таких слухов, надо признаться, были основания, и дело тут не в сходстве фамилий. Характер публикаций Андронова был таков, что в них проглядывал большой государственный ум. Хотя осведомленности и качества изложения тоже было не занимать. Не будет преувеличением сказать, что благодаря его перу в те годы было успешно решено немало международных проблем, касавшихся СССР. Правильно заданный толчок в прессе часто инициировал процессы, которые в конечном итоге и вели к положительным результатам.

Еще говорили, что Иона Андронов лично хорошо знаком с тогдашним генсеком Брежневым. Согласно молве, якобы он и писал Леониду Ильичу его мемуарные сочинения. Конечно, это ерунда, никаких брежневских мемуаров Андронов не писал. А вот в хороших, в чем-то, может быть, даже дружеских отношениях с Брежневым действительно, был. Просто так сложилось, судьба свела их вместе. И генсек, надо отдать ему должное, оценил талант журналиста и политика.

Отдельный период жизни И. Андронова – работа в США в качестве спецкора «Литературки». Конечно, это были блестящие репортажи, встречи с влиятельными политиками, запоминающиеся интервью. Многим памятна его книга «Убийство без возмездия». Но была и другая часть этой зарубежной жизни. Один из эпизодов нашел отражение во включенной в данную книгу повести «Русская любовь Джозефа Маури». В силу своего немыслимого журналистского дара, Иона Ионович «выудил» этого человека, можно сказать, прямо из середины американской толпы. Выбор оказался необычайно удачным. Маури в дальнейшем сыграл немалую роль в пропагандистской войне против США, в том числе и в силу небезызвестного фильма «Человек с Пятой авеню». Но повесть посвящена не этому. Мало кто знает, что у Джона Маури в те годы возник роман с девушкой из Советского Союза. И роман превратился в такое немыслимое приключение, а в чем-то даже и в мелодраму, что, как говорится, голливудские кинопродюсеры позеленели бы от зависти от такого сюжета.

Я вижу в этой повести больше, чем просто повествование о любви. Андронов относится к числу тех людей, которых, что называется, коснулось внимание высших сил. И дело даже не в наличии или отсутствии у Ионы Ионовича религиозных убеждений. Дело в другом. Вся эта история, как мне кажется, не может быть просто нагромождением немыслимых случайностей. А их там слишком много. За этими случайностями скорее проглядывает разумный план. Некоторые журналисты в этой связи поспешили заявить, что Маури на самом деле являлся супершпионом ЦРУ, а все совпадения были подстроены хитроумными американскими разведчиками.

Ах, если бы можно было так просто все объяснить происками иностранных шпионов. Если читать повесть внимательно, то нетрудно заметить, что в целом ряде случаев Маури совершает в безобидных ситуациях поступки, которые наносили ущерб имиджу США. Ради чего? Чтобы просто втереться в доверие к известному журналисту? Нет, я тут вижу иное. Да, действительно, не исключено, что все участники этих событий действовали в рамках разумного плана. Но конечно, не плана американской разведки. Это был скорее план его величества Случая. А может быть, и какой-то иной субстанции, затеявшей с нами одну ей понятную игру. И выбирает кого-то из нас, чтобы поставить в центр самых немыслимых событий и ситуаций. Вот, по моему глубокому убеждению, Андронов и оказался избранником такого перста судьбы.

Какой-то перст судьбы можно увидеть и в других повестях, включенных в эту книгу. Случайности и события в них сплетаются в немыслимые комбинации, потом распадаются и вновь сходятся в каком-то танце гармонии и парадокса. Такое просто не бывает само по себе.

Отдельная часть жизни Ионы Андронова – это война в Афганистане. Ведь он в этот период был военным корреспондентом. Андронов и хотел, и был должен попасть туда. Справедливости ради надо отметить, что андроновские наблюдения и записи, касающиеся афганской войны, просто поражают своей человеческой правдой и… жестокостью. Мы часто либо приукрашиваем, идеализируем те события, либо, наоборот, все малюем в черном цвете. На самом деле там все нередко было окрашено не то, что в черный, а в аспидно-черный цвет. Но рядом с этим соседствовали человеческое благородство, бескорыстие, самопожертвование, искренность и верность. И в реальности эти две полярные сущности не сливались, не смешивались, сколько бы их ни варили в одном адском чане.

Писать могут многие. Но дар истинного художника заключается в том, что он одним-двумя точными мазками способен передать то, на что другим не хватит и книги. Вот именно таков и есть Иона Ионович Андронов. Читая его, не устаешь изумляться таланту литератора и журналиста. Перед глазами оживают картины давно минувших дней, из-за кулис на сцену выходят политики и военные, которые уже давно сгинули в небытии. И оживает спектакль, который не устает ставить сама Жизнь. Наверное, во многом повесть «Эхо Афгана» перекликается с известной книгой И. Андронова «Моя война».

Андронов бывает и другой. Я вижу в его повести о снежном человеке изрядную долю человеческого юмора. Ну, быть может, немного сдобренного сарказмом. Наблюдательный критик, блестящий писатель, этого не отнимешь. Однако, начав читать рассказ, на каком-то этапе вдруг понимаешь, почему именно этот сюжет привлек внимание автора. Дело не только в веселом и одновременно познавательном приключении. Иона Ионович сочетает приятное с полезным. Впрочем, нет нужды пересказывать то, что читатель и сам вскоре увидит.

Отдельная тема – судьба сына Сталина Якова. Сейчас мы явно упрощенно судим о той эпохе. Либо поднимаем Сталина на щит, как бы подразумевая, что, вот если бы он сейчас воскрес, то немедленно железной рукой смел бы всех этих олигархов, жуликов и мерзавцев. Либо огульно охаиваем, списывая на одного человека все те злодеяния, в которых участвовали многие, даже очень многие. Иона Андронов стоит выше этих упрощенных оценок. Он позволяет себе то, что могут позволить себе немногие – говорит правду о той эпохе. Да, Сталин был тиран, и руки его в крови невинных жертв. Но его сын в немецком плену вел себя достойно. Можно этим гордиться или нет, но знать, наверное, надо.

Кстати, рассказывая о последних днях жизни Якова Джугашвили, Андронов предает гласности редкие исторические документы. Дело в том, что материалы, связанные с пребыванием старшего сына Сталина в плену, попали в руки американцев, которые решили не передавать их Советскому Союзу. И основания к тому были немалые – из документов следовало, что английские военнопленные вели себя неподобающе по отношению даже к сыну Сталина.

Однако уже в наше время возникла возможность ознакомиться с этими документами, что Андронов и сделал. Наверное, долг любого честного журналиста – опубликовать то, что долгие годы являлось секретом и касается немаловажных вопросов истории Советского Союза.

И опять мы возвращаемся в Америку. Простые американцы из глубинки США обращаются к СССР с просьбой помочь преодолеть последствия стихийного бедствия после того, как официальный Вашингтон отвернулся от них. Заметим себе, тогда шла холодная война. Жаль, что эта история осталась неизвестной большинству людей в Америке, да и у нас, в Советском Союзе. Иона Ионович излагает ее как всегда с блеском маститого журналиста. Повесть не только интересна, она и познавательна. Читатель откроет себе мир простых американцев, которые далеко не всегда думают так же, как официальные лица страны.

Андронов – это эпоха в жизни нашей страны. Он сын этой эпохи и одновременно, волей высшего провидения, ее творец. Один из творцов. Талантливый и наблюдательный, жесткий и сентиментальный. Читая его книги, понимаешь, что тем самым ты прикоснулся к самой истории в лице этого замечательного человека.

В. Н. Трофимов,

действительный член РАЕН, д.ю.н.

РУССКАЯ ЛЮБОВЬ
ДЖОЗЕФА МАУРИ

Вот уже пятнадцать лет подряд гостит у меня ежегодно мой давний друг – американец. Старожил многолюдного Нью-Йорка оказался там, как ни странно, настолько одинок, что у него осталась только единственная близкая ему семья – моя жена Валентина вместе со мной.

Дабы повидаться с нами и пожить у нас две-три недели, наш гость, бедняк-пенсионер, копит помаленьку каждый год достаточно деньжат, чтобы купить самый дешевый авиабилет по льготному тарифу в интервалах между туристическими сезонами.

Джозеф говорит сносно по-русски, читает в Нью-Йорке эмигрантскую газету «Новое русское слово», а в Москве покупает день за днем не менее дюжины газет и потом пересказывает мне наиболее примечательные статьи.

Он подолгу обходит книжные магазины, посещает диспуты в столичном Доме литераторов и любит вообще разгуливать среди толп москвичей по Старому Арбату, Тверской улице, Манежной площади, где прежде, в середине 80-х годов, многие горожане, завидев Джозефа, приветствовали его, окружали, жали ему руку, просили дать автографы. Тогда его лицо мелькало у нас на экранах телевидения, миллионных страницах «Правды», «Известий», «Труда» и прочих газет и журналов.

Но теперь никто не узнает общеизвестного ранее янки, хотя он внешне мало изменился.

Сработала, вероятно, вещая поговорка: «С глаз долой – из сердца вон». Вдобавок и сердце моей отчизны ныне подменили на нечто бессердечное.

Впрочем, прекратив мои сугубо личные догадки, вернусь к фактологии необычной судьбы Джозефа. С ним я познакомился осенью 1985 года, будучи в ту пору корреспондентом московской «Литературной газеты» в Соединенных Штатах.

Обосновавшись в Нью-Йорке, я начал прежде всего поиск помещения для корпункта «Литгазеты». Требовалось арендовать квартиру на Манхэттене – эпицентре нужного журналисту скопища местных штабов бизнеса, политики и прессы.

На севере этого района доминировал негритянский Гарлем, опасный смертельно для любого белокожего чужака. А примыкали к

Гарлему в те времена обширные трущобные кварталы с их круглосуточной преступностью. Юг Манхэттена тоже был весьма криминален из-за обилия там наркоманов, нищих люмпенов, шаек итальянской и китайской мафии.

Самой благополучной являлась восточная часть города – Ист-Сайд. Но тамошнее супердорогое жилье было мне не по карману.

В итоге я выбрал западный район Вест-Сайд – смесь ветхих домов бедноты и новых небоскребов для так называемого «среднего класса». В том месте происходила в те годы «джентрификация», то есть «аристократизация» – систематическое выселение малоимущих арендаторов из окрестных зданий, которые затем ремонтировали, облагораживали и предлагали по возросшей цене состоятельным квартиросъемщикам. Я осмотрел дюжину таких жилищ, надеясь устроить за наименьшую плату газетный корпункт из трех комнат – своего кабинета, спальни и небольшой приемной для посетителей.

Под конец из всех вариантов наиболее низкая аренда корпункта составила три тысячи долларов в месяц! Это показалось мне тогда беспардонным грабежом. Ведь в Москве мы с женой платили в те дни за нашу трехкомнатную квартиру 20 рублей помесячно. И никак не могли предвидеть, что спустя полтора десятка лет у нас дома будущая «жилищная реформа» узаконит дикую спекуляцию по нью-йоркским образцам.

А в том далеком 85-м году американский корпункт «Литгазеты» все же обрел дорогостоящее пристанище лишь потому, что моей редакции пришлось безвыходно раскошелиться.

Тот прошлый жилищно-денежный контраст городского быта Нью-Йорка и Москвы стал темой моего газетного репортажа. В него я включил эпизод, привлекший случайно мое внимание по-соседству с корпунктом на 70-й стрит. Шагая по ней, я увидел пару пожилых американок, пытавшихся всучить прохожим какие-то листовки. Но от них отмахивались почти все пешеходы. А я взял из любопытства.

На листовке было напечатано название ее изготовителя – общественно-благотворительная организация «Городской совет по жилищным делам». Текст гласил:

«Стоп! Стоп! Прочитайте, пожалуйста, и подпишите нашу петицию к домовладелице Дениз Собел с просьбой прекратить бесчеловечное выселение ее жильца Джозефа Маури. Он арендует маленькую комнату на 70-й стрит в доме № 35 на пятом этаже. Этот дом куплен миссис Собел. Ей принадлежит еще два здания. Она убедила суд выселить м-ра Маури, хотя ему негде больше жить по причине крохотного заработка. Тем не менее, он исправно платит за его комнату 98 долларов ежемесячно. Зачем же превращать Джозефа Маури в бездомного? Невозможно смириться с такой бессердечностью. Попросите Дениз Собел прекратить несправедливое выселение Джозефа Маури!»

Прочитав листовку, я обнаружил, что ее вручили мне как раз перед обозначенным в ней домом № 35. Это была староватая кирпичная пятиэтажка. Вполне добротная, но с облупившимся фасадом. Такие дома и подвергались пресловутой «джентрификации». Ее жертв изгоняли отсюда не только по приговору судов.

Нередко домохозяева нанимали банды вышибал, которые силком вторгались в клетушки беспомощных постояльцев, лупили их, крушили мебель, срывали электропроводку, устраивали поджоги и выталкивали на улицу запуганных бедолаг.

Парадная дверь дома 35 была почему-то не заперта, и я вступил беспрепятственно в сумрачный безлюдный холл, Избегая гнева домовладелицы, добрался бесшумно по лестнице до пятого этажа. Там на площадке узрел четыре комнатные двери, приник поочередно к ним ухом и сквозь одну из них расслышал приглушенные шорохи. Постучался туда, и дверь открыл высокий, плечистый и болезненно тощий мужчина в клетчатой заношенной рубахе и столь же истертых темно-серых штанах.

На вид ему было примерно лет под пятьдесят. Его я спросил:

– Как вас, извините, зовут?

– Джо Маури. А вы кто?

– Журналист из Советского Союза. Корреспондент издающейся в Москве «Литературной газеты». Моя фамилия Андронов.

Он изумленно и недоверчиво уставился на меня. Понадобилось показать мое служебное удостоверение на английском языке и полученную мной петицию к его домохозяйке. Я сказал:

– Можно к вам зайти и побеседовать?

– Входите, – ответил он.

Размер его комнаты не превышал 7 квадратных метров. Все внутреннее убранство состояло из матраца на полу и целлофановой кошелки с каким-то мелким барахлишком. Я удивился:

– У вас нет даже стула и столика?

– Были два стула, тумбочка, кровать, настенное зеркало и полки с двумя сотнями книжек. Но ко мне с часу на час могут заявиться судебные приставы и вышвырнуть на мостовую с моими пожитками. Они попадут на мусорные свалки. Поэтому я сам вынес их загодя на улицу и раздал проходившим мимо незнакомцам.

Он вздрогнул и отвернулся. Помолчал. Потом промолвил:

– Когда раздавал мои книги, то расплакался.

Мне захотелось хоть как-то его утешить:

– А вдруг поможет петиция в вашу защиту?

– Это благая, но бесполезная затея, – возразил он. – Купившая дом миллионерша уже очистила 22 комнаты от таких, как я. Неизбежен и мой черед. Алчная богачка перестроит внутренность дома и сдаст в аренду сверхприбыльно толстосумам обновленные квартиры.

Внезапное сочувствие к нему прошибло вдруг во мне профессиональную отстраненность бывалого газетчика от чужих невзгод. И я сказал:

– Если вам будет некого позвать на подмогу при выселении, то обратитесь ко мне поблизости, на 67-ю стрит. Вот мой адрес и номер телефона.

Он взял мою визитную карточку и впервые улыбнулся. Робко, невесело, но дружески.

Через пару дней Джо Маури позвонил мне и сообщил, что его еще не выселили, хотя это угрожает ему по-прежнему. А я предложил Джо навестить меня и добавил, что встречу его в холле моего дома. Иначе там, как я опасался, дежурный швейцар задержал бы наверняка похожего на бродягу изможденного пришельца в нищенской одежке.

40-этажный небоскреб, где находился корпункт «Литгазеты», населяла преимущественно обеспеченная публика – служащие банков, преуспевающие адвокаты и врачи, биржевые маклеры, муниципальные чинуши. Среди этих «средних американцев» не было ни одного негра либо желтокожего. От таких избавлялись под лживым предлогом того, что в сем доме вроде бы уже нет свободных помещений. И повсюду в Соединенных Штатах укоренилась подобная негласная подоплека их витринного равноправия и политкорректности.

Когда Джо вступил в фойе моего дома и я демонстративно пожал ему руку, то все равно ливрейный швейцар уставился на него презрительно и сердито. А высокорослый Джо инстинктивно сник, ссутулился, засмущался. Я шепнул ему:

— А ну-ка распрями спину и не тушуйся перед наемным холуем.

Но Джо выпрямился и как бы оттаял только за порогом корпункта, когда его встретила очень доброжелательно моя жена, усадила на диван, угостила чаем и бутербродами. Мы провели втроем несколько часов, неторопливо беседовали, шутили, обсуждали разные события в Нью-Йорке и Москве.

Так я узнал, что Джо трудится грузчиком в типографии газеты «Нью-Йорк таймс». А в молодости был фабричным рабочим, потом танцором эстрадных кордебалетов и позднее физкультурным тренером разных спортклубов. В отдаленном прошлом женился, развелся, детей не имеет, стал закоренелым холостяком. И друзьями не обзавелся. Живет безденежным бобылем. К тому же уже дважды его выселяли в Нью-Йорке из домов, подвергнутых тоже «джентрификации».

Выяснилось также, что Джо завязал знакомство со мною отнюдь неспроста. Он прочел немало книжек о России, оказался особенно сведущ по части многих сражений советской армии во Второй мировой войне, интересовался современной жизнью моей страны, подписавшись ради этого на англоязычное издание газеты «Московские новости». В начале 60-х годов Джо побывал туристом в Советском Союзе и с той поры продолжал осваивать самоучкой русский язык.

Для него я нежданно явился притягательным выходцем из мира российского социализма. Его повидав и начитавшись о нем, Джо не идеализировал чрезмерно советский строй. Но вместе с тем по-хорошему завидовал нашей опеке бедняцкого люда, которого нигде у нас не гнали из жилья по бесстыдной причине отсутствия больших денег.

В общем, горемыка Джо показался мне симпатичным, интеллигентным и несправедливо несчастным человеком.

О нем «Литгазета» напечатала скуповато лишь восемь коротеньких абзацев мелким шрифтом. И тем бы, наверное, все это закончилось, кабы дипломатическая миссия СССР в Нью-Йорке не пригласила меня по телефону навестить ее по какому-то срочному поводу.

Вызов сделал, как прояснилось далее, весьма вельможный дипломат, который был в действительности одним из руководителей секретной резидентуры КГБ. Мой собеседник заговорил со мной о Джо Маури, хотя прознал о нем вовсе не из «Литгазеты». Он объявил мне, что выполняет поручение московского начальства Комитета госбезопасности и Центрального комитета КПСС.

Такое уведомление означало для меня беспрекословное подчинение. Или быструю расправу за малейшее противодействие.

Кагебист-дипломат сказал, что в Нью-Йорк прибыла группа московских киношников с заданием снять документальный фильм о здешних бездомных, в пику громогласным нападкам отсюда на советские власти за попрание ими прав человека. Но киноспецы контрпропаганды очутились на грани срыва их госзаказа, так как заснятые тут десятки уличных бездомных выглядели придурковатыми босяками, грязными алкашами, мерзкими оборванцами. И не могли внятно произнести хоть что-либо антиамериканское даже с подсказки.

Поэтому из Москвы поступила директива: спасти кинозатею с помощью обнаруженного «Литгазетой» вполне благообразного нью-йоркца Джо Маури.

И чтобы это усвоил я как безоговорочный приказ, были названы два сценариста грядущего фильма. Первый – Леонид Замятин, заведующий отделом международной информации ЦК КПСС, наивысший куратор всех советских журналистов-международников. Второй – прибывший в Нью-Йорк писатель Генрих Боровик, известный своими связями с ЦК КПСС и генералитетом КГБ.

Из этих киносоавторов я был знаком только с Боровиком. Ему доверяли свыше наиболее злокозненные делишки. Во время войны во Вьетнаме его командировали в ханойскую тюрьму для опроса пленных летчиков США с целью похлеще их опорочить. Потом он облыжно приписал американскому ЦРУ убийство агента-двойника КГБ и ЦРУ Николая Артамонова, которого прикончил секретно приятель Боровика генерал КГБ Олег Калугин. Смычка Боровика с шефами КГБ была столь уникально тесной, что ему позволили для сочинения шпионских опусов поработать в сверхзаконспирированном архиве госбезопасности на Лубянке.

Однако у меня возникла неприязнь к Боровику совсем не по причине его родства с КГБ, включая семейное – замужество его дочери за сыном генерала-резидента КГБ в Вашингтоне.

Рядовые офицеры советской разведки, встреченные мною не раз за рубежом, выполняли свой служебный долг патриотично и с риском для жизни. Шла «холодная война». В ней и я участвовал словесно на стороне моей страны. Но чурался демагогии. Чем занимался Боровик, восхваляя в газетах и по телевидению каждый политический чих Кремля так напыщенно, ходульно, навязчиво, что это казалось мне халтурной фальшью.

Впоследствии, после развала СССР, Боровик опять лицемерил на страницах «Московского комсомольца»:

– Когда в 70-х годах я впервые увидел близко несколько людей с Олимпа, то понял, что идеи социализма им ненужны. Они в это не верят. Это в основном народ некультурный и хамоватый, исходящий из того, что, если он начальник, – ты дурак. Но что я должен был делать? Выйти на Красную площадь и кричать: «Долой»? Большевики кровью уничтожили веру в социализм. В конце 70-х коммунисты обманывали людей идеями социализма.

Тогдашний ярый коммунист Боровик, прибыв в Нью-Йорк осенью 1985 года, снимал, выходит, предумышленно обманный фильм. И угождал «некультурным и хамоватым» бонзам кремлевского «Олимпа» не только своими публикациями. Он недавно поведал столичным газетчикам, что его «отец – еврей», а в прошлом «главный идеолог компартии Суслов заинтересовался моим отчеством» и заодно ругнул «сионизм». Вслед за тем Боровик сменил отчество Авиэзерович на Аверьянович. То есть ради карьеры отмежевался от своего отца.

Сотрудничать с таким ловчилой я не захотел, но не отважился на журналистское харакири – утаить Джо Маури от КГБ и ЦК КПСС. Боровик предложил мне сняться в его фильме на пару с Джо, но я отказался. И лишь свел Боровика с Маури. Их остальные контакты и киносъемки происходили без меня.

Фильм Боровика и Замятина показали в СССР по телевидению весной 1986 года. Боровик экранизировал по привычке лобовую агитку. Заснял Джо Маури на фоне нью-йоркских трущоб и бродящих по улицам бомжей, а потом привел на фешенебельную Пятую авеню, где подучил Джо спросить у привратника шикарного дома, сколько стоит там жилье? Привратник изрек:

– Самая дешевая квартира из двух комнат стоит здесь 376 тысяч долларов.

Эту киносценку Боровик сделал ключевой и дал фильму саркастическое название «Человек с Пятой авеню», акцентируя нарочито недоступность обители мультимиллионеров для Джо Маури и ему подобных. Столь назойливый розыгрыш сглаживала, однако, внешность Джо – его простодушная физиономия, честный взгляд, непринужденные манеры, ветхое одеяние, потрепанная шапчонка с длинным козырьком.

Экранизированный Джо вызвал невольное сострадание у советских телезрителей. Ведь они были тогда совсем иными, чем теперь.

Помню, как в те годы в московском аэропорту кто-то при отлете бросил беспечно свою овчарку, о чем оповестила «Комсомольская правда», а вслед за тем тысячи наших сограждан телеграфировали отовсюду о желании приютить бесхозную псину.

Между тем «Человек с Пятой авеню» принес Боровику ценнейшие дивиденды. И не только рублевые. Вскоре он был назначен председателем Советского комитета защиты мира (СКЗМ). Это учреждение именовалось общественным, но было государственным ведомством с прямым подчинением ЦК КПСС и под маскировочным колпаком КГБ.

Многочисленные спецсотрудники СКЗМ занимали шестиэтажное здание в центре Москвы и оттуда командировались в Западную Европу, Америку и прочие заморские края для возбуждения там потребных Кремлю митингов, шествий, конференций за мир и разоружение антисоветских супостатов.

Боровик обрел долгожданный высокий пост министерского ранга. Его сан гарантировал ему новые повышения по номенклатурным ступеням кремлевского Олимпа. И быть бы тому, не случись у нас политического землетрясения на пороге 90-х годов.

«Перестройка» и «гласность» подкосили элитарно-чиновную карьеру Боровика. Летом 1991 года рупор московских «демократов» – газета «Куранты» – разразилась скандальным компроматом:

«Семейственность, протекционизм, мотовство денег, в том числе государственных, – все это пустило глубочайшие корни в Советском комитете защиты мира, которым руководит Генрих Боровик. Он предпочитает «бороться» за мир в самых «опасных» уголках мира – в Италии и Греции, Швейцарии и Голландии, Франции и США. Из всех «боев» выходит без потерь. В США по линии комитета побывали разом его супруга, дочь и шестилетний внук. В этой команде, как правило, нет места рабочим и крестьянам. Наш родимый Комитет защиты мира превратился в «нужник» – клуб нужных людей. Сроду СКЗМ не был по сути своей общественной организацией. Комитет защиты мира был порожден ЦК КПСС. Обычная цэковская лавочка. Как был комитет кормушкой для партийной, советской, комсомольской, хозяйственной элиты, так ею и остался. Не пора ли обществу объявить войну «послам мира» из комитета с громким названием, дабы впредь не компрометировать благие идеи?»

И потом очень быстро комитет Боровика исчез, а сам Генрих псевдо-Аверьянович проворно примкнул к нашим современным «демократам». Он принялся рассказывать по столичному радио «Эхо Москвы» издевательские анекдоты про КГБ и советскую прессу. Напечатал в журнале семейства Боровиков «Совершенно секретно» серию статей со сплетнями о тайной «шизофрении» Сталина и заклеймил его пафосно за «глубокий цинизм, болезненную жестокость, низменный прагматизм и сопровождавшую всю его жизнь ложь, часто – иезуитскую, нередко – тупую, топорную, равнодушную».

Портретируя Сталина, новоявленный правдолюб как будто поглядывал в зеркало.

Прозванный ранее в Москве «идеологическим генералом КПСС», Боровик уверяет отныне газетчиков:

– Только религия может вернуть нравственность.

Вместе с тем во всех выступлениях самообновленца Боровика по телевидению, радио и в газетах он ни единым словом не вспоминал его былого киногероя Джо Маури.

А того после киносъемок Боровика выселили из его коморки на 70-й стрит. Защищавшие изгоя американки-благотворительницы все же выручили Джо, пристроив в городской приют для бездомных на северной окраине трущобной зоны. Ее заселяли безработные, наркоманы, проститутки, воровская шпана. Направляясь туда на свидание с Джо, я всякий раз имел наготове карманный нож.

Очередное пристанище Маури размером в пять квадратных метров вмещало лишь матрац на полу и миниатюрную тумбочку. Не было в каморке ни туалета, ни умывальника. Они находились в коридоре для общего пользования всеми соседями по этажу. Но такое жилье, жалкое по американским стандартам, стоило Джо ежемесячно 112 долларов. За их вычетом зарплата чернорабочего, типографского упаковщика газет, обеспечивала лишь скудное пропитание.

Худощавый Джо еще сильнее отощал до того состояния, про которое обычно говорят – кожа да кости. И я спросил:

– Как же вы питаетесь?

– Покупаю на завтрак, – ответил он, – кусок хлеба и стакан морковного сока.

– А ваш обед?

– Булка хлеба и банка самых дешевых рыбных консервов.

– Ужин?

– Не ужинаю.

– По вечерам мучает голод?

– Не очень. Я привык к недоеданию.

О его прозябании «Литгазета» напечатала мою репортажную заметку одновременно с телепремьерой в Москве «Человека с Пятой авеню». Однако создатели фильма не удосужились поделиться их солидным гонораром хоть чуть-чуть со своим главным киноперсонажем.

Воистину – сытый голодного не разумеет.

Советский телепрокат «Человека с Пятой авеню» обрушил вдобавок на Джо лавину злословия в Соединенных Штатах. Нью-йоркская газета «Ньюсдей» объявила, что «русские подкупили Маури» и «он станет миллионером» за очернение Соединенных Штатов.

Радиостанция Эм-си-эй обозвала Джо «Квислингом», то бишь предателем, а газета «Нью-Йорк дейли ньюс» – «лжецом, обманщиком и отъявленным жуликом».

Та же газета пригрозила: «Теперь ему будет плохо в США». И предложила «обменять Джозефа Маури» на какого-нибудь пойманного в СССР американского шпиона.

Ведущие газеты Вашингтона, Бостона, Филадельфии, пресс-агентства и телевидение хором предали Джо анафеме. Нафантазировали о наличии у него «тайной роскошной квартиры», а потому призвали к выселению Маури из трущобного приюта для бездомных. И пугали его судебным возмездием.

Запевалой травли выступила «Нью-Йорк таймс», чьи типографские менеджеры, оскорбляя и стращая Джо, лишили его и вовсе работы грузчиком. Так он сделался безработным.

Затюканный отовсюду Джо отсиживался боязливо в своей приютской норке, выходил купить продукты только затемно и жаловался мне:

– Сюда уже приходили полицейские, били кулаками в мою дверь и предъявили повестку с вызовом на допрос к следователю. Он заявил мне напрямик: причина допроса – мои кинорассказы в Советском Союзе о бездомных американцах. Вот за что меня хотели бы тут напоказ распять. И преследуют будто опасного преступника.

Это я спешно разгласил в «Литгазете», но ее поддержка Джозефа не возымела никакого резонанса в Нью-Йорке. Отчаянное положение Маури становилось с каждым днем все хуже и безнадежней. Тому виновником первоначально, неумышленно, косвенно был я сам.

А посему после нелегких раздумий я посоветовал Джо экстраординарный демарш: поехать со мной в Москву и оттуда сенсационно вынудить корреспондентов западной прессы пересказать со слов оболганного американца хотя бы наполовину его истинную историю.

Джо согласился со мной. Наш замысел поддержала моя московская редакция и даже организовала финансирование путешествия Маури руководством советских профсоюзов – их центральным органом ВЦСПС. Мы вылетели в Москву самолетом «Аэрофлота» 3 августа 1986 года.

Почти месяц пробыл Джо на российской земле. В Москве, Волгограде, Сочи, Ленинграде. Встречался с сотнями моих соотечественников в цехах разных заводов, в институтах и школах, в редакциях газет, журналов и телестудиях, на городских улицах и вокзалах.

Повсюду ему, обездоленному иноземцу, дарили букеты цветов и сувениры, милосердно слали почтовые переводы наших рублей, бесполезных тогда для него из-за их валютной неконвертируемости. Он получил также не менее дюжины приглашений от незнакомцев поселиться у них в отдельной комнате.

На всех встречах Маури с его доброжелателями он собирал их подписи под петицией к губернатору штата Нью-Йорк с воззванием прекратить принудительное выселение низкооплачиваемых работяг из арендованных ими жилищ.

Джо устроил в Москве пресс-конференцию для иностранных и местных журналистов. Раздавал интервью и порознь американским корреспондентам. Они держались враждебно, но все-таки цитировали обширно его отповеди им. А покровительство ему наших властей было, конечно, небескорыстным: он бесхитростно и аполитично поспособствовал пропаганде советского образа жизни.

Однако мне Джо преподнес негаданный сюрприз, когда мы посетили мой родной Ленинград и разместились в гостинице «Астория». Он позвал меня на прогулку и нервно попросил в сквере перед Исаакиевским собором выслушать его исповедь о неведомом мне интимном происшествии с ним 22 года назад.

Это случилось летом 1964 года, когда молодой американский турист встретил в России подмосковную девушку, красавицу-блондинку, и влюбился в нее. Он достиг взаимности и не пожелал расстаться с девушкой вопреки окончанию срока его визы на пребывание здесь. Он остался в Москве по сути нелегально.

И сразу же сыщики КГБ начали охотиться за подозрительным интуристом, но неуловимый Джо хитроумно ускользал от них и продолжал тайком встречаться с возлюбленной. Завершилось это заурядно: контрразведчики выследили американского нелегала и выдворили из нашей страны.

Долгие годы Джо полагал, что КГБ закрыло ему навсегда доступ заново в СССР. И горевал о незабытой отнятой любви. Оттого и ухватился он мечтательно за мое намерение обеспечить ему возвращение в Россию. Обнаружилось, что порыв Джо дать отпор его обидчикам с советской помощью был лишь побочным мотивом предложенного ему вояжа.

Не зря у нас в ходу мудрая поговорка французов: «Cherchez la femme» – «ищите женщину». Да, «шерше ля фам» почти во всем, не исключая политику.

Искать любимую женщину Джо потребовал от меня настолько возбужденно, что я смекнул: без нее мой подопечный будет психовать беспрестанно. По моей инициативе редакция «Литгазеты» попросила адресное подразделение министерства внутренних дел установить местопребывание гражданки по имени Алла Голубкова. Но такой нигде на значилось...

Куда же она запропастилась? Быть может, вышла замуж и сменила фамилию? Либо, увы, скончалась? Эмигрировала? Или где-нибудь живет почему-то анонимно?

До описания расшифровки этой загадки я уговорил Маури изложить самому ее предысторию. Ибо речь зашла о его собственной любви. А я взялся перевести с английского языка на русский рассказ Джо. Все это – ниже.

Cherchez la femme

…В июле 1964 года я отправился туристом из Нью-Йорка в Москву. На эту поездку денег было в обрез, из-за чего я воспользовался недорогим групповым туром советской фирмы «Спутник». И купил по минимальной цене авиабилет компании «Констелейшн» по прозвищу «птчика-дешевка». Ее устаревший самолет жалостно дребезжал над Атлантическим океаном и так часто нырял в воздушные ямы, что пассажиры трепетали до приземления в Германии. Там я пересел в поезд Берлин-Москва.

То памятное путешествие продолжалось еще месяц и переиначило мою жизнь, одарило любовью, навлекло страдания, запало мне в душу столь надолго, что все это не умрет во мне до гроба.

Ничего подобного не предчувствовал я до турне в Россию. Родился я в штате Коннектикут, а мой покойный дед и его жена были выходцами из итальянской Ломбардии. Дед и мой тоже покойный отец – потомственные каменщики-строители. Отец строил дома во многих городах Америки и кочевал по ним со мной и моей мамой.

Стал рабочим и я. Сначала на авиазаводе в Калифорнии, позже – на бумажной фабрике в Нью-Йорке. Там же я учился по вечерам в городском колледже. Изучал иностранные языки, литературу и увлекался спортом, что всячески поощряют, как известно, в американских вузах.

К литературному чтиву пристрастил меня отец. Он был заядлым книгочеем и поручал мне приносить ему из библиотек книжки по его спискам, предпочитая мемуары, биографии выдающихся людей, исторические трактаты. Заодно с ним и я занимался самообразованием.

В колледже я получил диплом бакалавра наук. Но познаний в литературе и языковедении оказалось недостаточно для заработка. Зато выручил спорт.

Моя отличная физподготовка, рельефная мускулатура, подвижность, высокий рост и молодость позволили мне подрядиться танцором в нескольких мюзиклах на нью-йоркском Бродвее. Затем последовали иногородние гастроли и знакомство в Калифорнии с популярной актрисой и певицей Мэй Уэст. Она взяла меня в свою труппу.

Мэй Уэст очень прибыльно пела на сценах ночных клубов, а ей подтанцовывали десять стройных качков, включая меня. Мы выступали в Лас-Вегасе, Майами, Чикаго, Сан-Франциско, Нью-Йорке, Филадельфии, Нью-Орлеане и так далее.

Кроме того, во время киносъемок голливудского фильма «Клеопатра» меня наняли сыграть одного из античных воинов. Да еще пригласили участвовать в состязании качков на титул «Мистер Америка». Впрочем, я занял в том турнире лишь шестое место.

Второстепенность моих амплуа побудила меня повысить актерское мастерство. И ради этого я прочел опубликованные по-английски книги прославленных российских режиссеров Станиславского и Вахтангова. А чтобы постичь театральное искусство и других русских мэтров, я выучил, во-первых, русский алфавит, во-вторых, грамматику русского языка, в-третьих, приобрел магнитофонные кассеты уроков русской речи.

Так я стал завсегдатаем магазина русскоязычных книг «Четыре континента» в Нью-Йорке. В том магазине продавали советскую газету «Москоу ньюс», на которую я подписался. В ней было немало статей на политические темы. Они меня тоже заинтересовали.

Дело в том, что я оставался духовно, благодаря семейному воспитанию, рабочим человеком. Моя рабочая юность и пример отца продемонстрировали, как нелегко живется трудягам моей среды. У меня не было почтения к американскому образу жизни с его культом денег. Этот неприглядный, по-моему, культ превратили в идеологию американского общества. Мне опротивело то, как крикливо наша пресса внушает нам день за днем: «Мы – свободный мир!»

Пресса демонизировала русских «комми» и уверяла, что они хотят захватить нас и поработить. Нас подстрекали ненавидеть совершенно незнакомых нам людей и в целом их общество. Но как раз это разожгло мое любопытство в отношении русских. И подтолкнуло подписаться на «Москоу ньюс».

Помню как понравилась мне в московской газете статья под заголовком «Обмен заложниками». В статье предлагалось поселить в СССР несколько тысяч американских граждан и столько же советских в США. Такой обмен помог бы, дескать, предотвратить ракетно-ядерную войну между двумя сверхдержавами. Эта выдумка была, конечно, несбыточной, но в 1963 году я простодушно увлекся ею. Тогда она показалась мне замечательной идеей!

Ту статью сочинил журналист по имени Николай Глаголев. И я решил: если побываю каким-либо образом в Москве, то прежде всего встречусь и поговорю с тем газетчиком.

В начале лета 1964 года я зашел в книжную лавку нью-йоркского Колумбийского университета и увидел там на доске объявлений листок с приглашением советской туристической фирмы «Спутник» поучаствовать в поездке молодежной группы в Москву. Приглашение было подписано координатором этого тура – американкой Сандрой Хэнно.

Разыскав Сандру, я выяснил, что московский тур будет максимально удешевленным и «образовательным»: нас поселят в студенческом общежитии во время летних каникул и пригласят бесплатно заслушать несколько лекций о жизни в Советском Союзе. Все это займет 10 суток. Но такую краткосрочность, заполненную лишь назидательными лекциями, я счел недостаточной, а потому самостоятельно запасся советской визой на месячное пребывание в России.

В июле 1964 года мой приезд в Москву совпал с очередной вспышкой «холодной войны». В Соединенных Штатах накануне президентских выборов «ястребы»-политиканы истерично требовали «остановить повсюду агрессию комми».

Президент Линдон Джонсон нагнетал кровопролитную войну наших войск против коммунистов во Вьетнаме. И гневно возмущался: «На нашем пороге нам угрожает Куба, и, если понадобится ударить комми по их головам, то мы это сделаем».

Соперник Джонсона в борьбе за президентство Барри Голдуотер, вожак «ястребов», был вообще способен спровоцировать водородно-ядерные бомбежки городов России. Ну, а там пропагандировали антиамериканизм.

В Москве меня с тургруппой «Спутника» поселили в маленьких комнатах студенческого общежития университета на Ленинских горах. В тургруппе только я и Сандра были американцами. Остальные приехали из Англии, Нидерландов и прочих европейских стран.

Каждый день нас созывали дважды на лекции о разных преимуществах российского социализма – о бесплатной медицине, отсутствии безработицы, всеобщем бесплатном образовании, равноправии и других благах для трудящихся.

Те лекции оказались, однако, слишком рекламными и крайне скучными. От них клонило в сон. И хотелось сбежать, чтобы самому побродить по Москве и безнадзорно пообщаться с москвичами. Но тому препятствовали неотступные гиды – двое парней-студентов, умевших изъясняться по-английски. Один из них – Саша – почему-то особо усердствовал по части слежки за мной. Таких, как он, кличут по-американски «стули», а по-русски «стукач».

Все же неоднократно я смывался с принудительных лекций и ускользал от Саши. Мне удалось в одиночку добраться до Пушкинской площади и прийти в редакцию «Москоу ньюс». Там я сказал, что являюсь подписчиком этой газеты и хочу повидаться с ее сотрудником Николаем Глаголевым.

Он принял меня очень по-доброму. Говорил по-английски безупречно. А когда я ему пересказал его статью, то это, наверное, польстило ему, и он пригласил на ланч своего читателя из Нью-Йорка.

У Глаголева был собственный автомобиль, на котором мы поездили по Москве, осмотрев ее достопримечательности. Благодаря Глаголеву я получил возможность, используя мое знание русского языка, свободно знакомиться на улицах или в магазинах с рядовыми горожанами, вопреки запрету властей на несанкционированные ими контакты с иностранцами.

Московские магазины поразили меня скудностью товаров, а москвичи – приветливостью и дружелюбием к чужеземцу из страны, угрожавшей в ту пору России. Никто ни разу не произнес об Америке дурного слова.

Гостеприимство русских людей покорило меня. Я был рад, что приехал сюда. Наперекор распрям Кремля и американских антисоветчиков, я стал и остаюсь русофилом. Отношения между русскими и американцами периодически портят, по-моему, с обеих сторон лишь вздорные политики и те, кто их снизу обслуживает.

После десятидневного пребывания в Москве тургруппы «Спутника» я попросил нашу предводительницу Сандру помочь мне задержаться в России с учетом того, что моя советская виза действительна еще 20 дней.

Моя просьба сильно встревожила Сандру:

– Вы должны тоже уехать с тургруппой, чтобы не раздражать руководство «Спутника».

– Нет, – настаивал я, – моя виза позволяет мне задержаться тут. Это вполне законно. Умоляю вас убедить хозяев «Спутника» разрешить мне пожить здесь туристом в любом месте, куда допускают иностранцев.

Упрямился я так настырно, что Сандра отвела меня в общежитии университета к администратору «Спутника» – москвичке Рите. Та потребовала тоже моего отъезда, но я упорно доказывал свое право задержаться в России на 20 суток.

Несколько раз мы спорили безрезультатно. Каюсь, что довел Риту до слез. И понял, что у нее нет полномочий удовлетворить мою апелляцию. Неведомые мне начальники Риты не желали позволить туристу-янки разгуливать бесконтрольно по российской территории.

Кончилось тем, что моя тургруппа уехала из СССР, а я непослушно засел в комнате университетского общежития. Оттуда меня позвали в кабинет Риты, где вместе с ней находились двое мужчин сурового облика. Я повторил им свои доводы, но они ничего не ответили, так как не владели английским языком. Они были наверняка офицерами секретной полиции в штатских костюмах. Оба угрюмые, настороженные, крепкотелые. Рита переводила им по-русски мою аргументацию.

Трижды крепыши выходили из кабинета и возвращались. Консультировались, наверное, по телефону с их командованием. Мой случай, возможно, был беспрецедентным. И все-таки обернулся в мою пользу.

Мне объявили, что моя советская турвиза допускает посещение помимо Москвы курортного города Сочи. Кроме Москвы, черноморский Сочи был в те годы тоже дозволенным пунктом для множества интуристов. Приглядка за ними и там осуществлялась полицейски бдительно.

Солнечный Сочи, в отличие от душной по-летнему Москвы, освежали морские бризы. Улицы украшали зеленые аллеи деревьев с густыми тенистыми кронами. Пляж был, впрочем, некомфортабельно каменистым, но тем не менее я плавал и загорал часа по два в день. А потом позади пляжа на скамейке под тентом наслаждался приморским пейзажем. По вечерам гулял в городском саду. Райское местечко!

Беспечное настроение уменьшалось только с наступлением ночи, когда с моря приближались к берегу военные катера. Ослепительные лучи их прожекторов непрестанно шастали по обезлюдевшим пляжам. Зачем? Один местный житель ответил мне: «Они выискивают шпионов».

Но ведь шпионы могли бы украдкой доплыть на чем-то сюда по морю, а прожектора катеров вместо освещения прибрежных вод целились наоборот лишь на пляжи. Тем самым мишенью шпиономании были, стало быть, обитатели Сочи?

Однако этот казус никак не мешал моему курортному отдыху. За комнату в отеле я платил баснословно мало – всего 6 рублей в сутки. Питание на мой вкус было неплохое. Купание приятное, солнце ласковое, пляжная публика – добродушная и разговорчивая.

На второй день сочинского кайфа я оказался на пляже рядом с миловидной девушкой. Она забавно, на мой взгляд, прилепила поверх ее носа бумажку от солнечного ожога. А телесный загар девушки был нежно-золотистым. И я не удержался от комплимента на русском языке:

– У вас есть хороший загар.

Она уловила как бы по наитию происхождение моего акцента и ответила по-английски:

– Спасибо. Надеюсь, что и вы получите вскоре черноморский загар.

– Вы русская? – спросил я.

– Да, – подтвердила она с улыбкой.

– Каким же образом усвоили английский язык?

– Полтора месяца назад я окончила педагогический институт иностранных языков.

– Как вас зовут?

– Алла.

– А я Джо.

Мы продолжали беседовать по-английски, и она рассказала мне, что через несколько дней улетит в Москву и будет с 1-го сентября преподавать в школе английский язык.

Юное лицо светловолосой Аллы было типично славянское: овальное, розовощекое, очаровательно чуть-чуть курносое. Когда она улыбалась, ее голубые глаза волшебно светились и вызывали у меня ощущение мгновенного праздника.

Она не походила на встреченных мною москвичек. В ее поведении и манерах не было никакого кокетства или деловитой озабоченности. Но был какой-то колдовской магнетизм. Нечто гипнотическое для меня. А коли проще сказать, то это называют обычно любовью с первого взгляда.

Все дни до ее отъезда из Сочи мы провели вместе. Купались, загорали, бродили по городу, рассказывали много друг другу о себе. Я был, как никогда прежде, счастлив.

В наш последний день Алла сообщила мне ее адрес в подмосковном городе Орехово-Зуево. У нее дома, к сожалению, не было телефона.

Без Аллы я осиротел в Сочи. Мне надоели курортное безделье, теплое море, бесцельные прогулки. И я решил тоже улететь в Москву ради новых встреч с Аллой до окончания срока моей турвизы.

Пять дней спустя, купив авиабилет, я приземлился в московском аэропорту Внуково. Никто не знал об этом. Нарушив советские порядки, я рисковал отныне тем, что меня смогут запросто вышвырнуть из России. Но до того я сумасбродно вознамерился любой ценой повидаться с Аллой.

Прямо из аэропорта я поехал в редакцию «Москоу ньюс», пришел к Николаю Глаголеву и поведал ему о моем сочинском знакомстве с Аллой и решении немедленно навестить ее в Орехово-Зуеве.

Глаголев сперва растерялся. Однако затем вымолвил:

– Я закончу работу в пять часов вечера. Жди меня на площади перед редакцией возле памятника Пушкину.

В назначенное время мы встретились. Он усадил меня в свой автомобиль и сказал, что я не имею права посетить Орехово-Зуево, ибо этот город расположен за пределами сорокакилометровой зоны от центра Москвы, а туда запрещен въезд иностранцам без специального разрешения столичных властей.

— Будь, что будет, — сказал я. — Помоги мне попасть в Орехово-Зуево.

— Это безумие, — предостерег Глаголев.

— Помоги мне, пожалуйста, прошу тебя, — повторил я.

— Неужели ты осмелишься тайно приехать ночью в незнакомый тебе город?

— Да, да! Сейчас мне негде переночевать в Москве.

Он привез меня в автомашине на Курский вокзал и купил железнодорожный билет до Орехово-Зуева. Уже стемнело, когда подошла к перрону необходимая мне электричка. Входя в нее, я услышал прощальное напутствие моего бесстрашного пособника: «Ну, давай, Джозеф, давай!» И двери электрички захлопнулись.

Сидя в почти пустой электричке, я заученно шептал по-русски адрес Аллы в Орехово-Зуеве: «Улица Фрезерная, дом пять... Улица Фрезерная, дом пять». Но вдруг Аллы не будет сегодня дома? И как бы мне не пропустить остановку электрички в Орехово-Зуеве?

Станционное название этого города на мою удачу я рассмотрел через окошко электрички, и вышел на платформу, где не было никого, кто мог бы подсказать, — куда мне дальше идти. А между тем оставался лишь час до полуночи.

Возле станции стоял пассажирский автобус. Я обратился к водителю:

— Где улица Фрезерная, дом пять?

Водитель ответил мне что-то по-русски, но я ничего не понял. И отошел, чтобы не возбудить у него каких-либо подозрений. Наугад зашагал по вымершим по-ночному улицам, опасаясь наткнуться на полицейский патруль. Под покровом ночи меня сочли бы, несомненно, за американского лазутчика.

Все-таки мне повезло встретить местную горожанку, как оказалось, ткачиху, шедшую домой с вечерней смены на фабрике. Она выслушала меня и объяснила:

— Вы сошли с электрички преждевременно. Фрезерная улица находится за окраиной города, в пригородном поселке Крутое. Там электричка тоже останавливается. А теперь вам придется идти по шоссе вдоль железной дороги до станции Крутое. От нее свернете направо и увидите жилые дома. Вот где найдете Фрезерную улицу. Только будьте все время начеку. На дороге отсюда до Крутого по ночам иногда грабят людей.

Она говорила медленно и внятно, распознав во мне иноземца. Я убедился снова в удивительной русской добросердечности.

И я побрел в кромешной тьме по пыльной, чужой, разбойничьей дороге к моей голубоглазой мечте в захолустном поселке за тысячи миль от Нью-Йорка. Я шел и шел, преодолевая усталость и умственный гнет пережитой нервотрепки.

В конце концов я увидел сельские домишки и проблески фонарей на деревянных столбах.

Два ряда домостроений и заборов разделяла ухабистая улочка. В ее начале я прочел надпись на фанерной табличке – Фрезерная. И рассмотрел на калитке ограды одноэтажного деревенского дома заветную цифру 5. Ух, слава Богу!

Я постучал по калитке, и во дворе залаяла собака. На крыльцо дома вышла пожилая женщина. Я выкрикнул по-русски: Алла Ивановна дома? Из-за спины женщины появилась Алла, увидела меня и застыла от изумления. Поначалу она как будто приняла меня за ночной мираж. Потом радостно рассмеялась и сбежала с крыльца мне навстречу. И впервые обняла меня. Я испытал прилив восторга библейского пилигрима, нашедшего свой сказочный Грааль.

Алла и ее мать ввели меня в их бедняцкое жилище с низким щербатым потолком и старой обшарпанной мебелью. В первой комнате доминировала большая кирпичная печь, имевшая сверху матерчатый настил для постели. В другой маленькой комнате стояли кровать и этажерка с книгами Аллы. Она принесла таз с водой, мыло, полотенце и помогла мне умыться. Тем временем ее мать вскипятила чай и приготовила неприхотливый ужин.

После трапезы мать Аллы легла поспать на кушетке в закутке сбоку от печки. А мы с Аллой еще долго-долго разговаривали тихонько, взявшись за руки. И я сказал, что ради нее пройду опять пешком по любым дорогам хоть на край света.

Продремать остаток ночи Алла уложила меня на ее кровать в маленькой комнате, а сама спала на печке. Застенчивость Аллы и присутствие рядом ее матери анестезировали той ночью мои мужские инстинкты. И без того на меня снизошло наркотическое блаженство.

На следующее утро я с Аллой поехал обратно в Москву. Там у нее были какие-то дела, а мне предстояло пристроиться где-либо в гостинице. Договорились встретиться вечером на Курском вокзале.

До окончания срока моей турвизы оставалось менее недели. Я направился в офис «Интуриста» в здании отеля «Националь» и попросил предоставить мне гостиничное жилье скромной стоимости. Такое обнаружилось в отеле «Украина».

Мне дали в «Украине» малогабаритную комнату, но отобрали мой паспорт на неопределенное время якобы для процедуры регистрации. Сделавшись беспаспортным иностранцем, я подвергся с того дня удвоенной опасности полицейского ареста.

Вечером на Курском вокзале Алла отговорила меня от беспаспортного и повторного нелегального рейда к ней домой в Крутое. Она обещала завтра вернуться в Москву на свидание со мной. И сдержала слово.

Более того, ей удалось добиться казалось бы невозможного. Она пришла в «Украину», где за парадной дверью просторный холл был перегорожен барьером с узким проходом, который охранял страж в униформе швейцара. Он допускал внутрь только постояльцев со специальными пропусками.

Увидев это, Алла дождалась появления группы интуристов, втиснулась в их толпу и прошмыгнула с ними сквозь запретный барьер. А потом негромко постучала по двери моей комнаты.

Полдня мы провели наконец-то наедине. И случилось то, что извечно происходит, когда женщина и мужчина любят друг друга. До сих пор, много лет спустя, я помню до мельчайших деталей те сладостные часы с русской красавицей в московском отеле.

Для наших дальнейших свиданий Алла арендовала простецкую бревенчатую избу в подмосковном селе Быково. Там же Алла преподавала в школе английский язык. Быково находилось, на мое счастье, в пределах зоны, доступной тем иностранцам, которые очутились в Москве.

С московского Казанского вокзала я приезжал в Быково на электричке, одевшись столь же неброско, как мои русские попутчики. Внешне непринужденно, но с оглядкой, шел к нашей избе и ждал в ней прихода Аллы после школьных уроков. Ничто не препятствовало нашей любви.

По вечерам мы даже стали безбоязненно посещать в Быково местный ресторанчик. Его меню было однообразным: суп, хлеб, котлеты, компот. Я согласился бы на такой рацион пожизненно при условии неразлучности с Аллой.

И мы условились – попытаемся пожениться, хотя российские власти ожесточенно противились тогда подобным бракам между иностранцами и советскими гражданами.

Еще до знакомства с Аллой в Сочи я, будучи первоначально в Москве, обедал однажды в кафетерии и оказался за столиком с женщиной, чье моложавое лицо было почему-то страдальчески заплаканным. Я подумал, что она больна либо ее только что очень крепко обидели. И полюбопытствовал: не могу ли как-то помочь?

Она ответила, что иностранец неспособен оказать ей помощь и может, наоборот, причинить лишь вред.

– Почему? – не поверил я.

Ее краткое объяснение сквозь слезы подтвердило и впрямь мое бессилие в той ситуации. У нее, студентки университета, был роман с немцем, служившим в посольстве Западной Германии. Это обнаружили здешние чины госбезопасности и приказали ей прекратить встречи с немцем. За ослушание пригрозили выгнать из университета.

Но она встретилась опять с возлюбленным. И тогда ее подвергли полицейским допросам с тройной угрозой – изгнать из университета, выселить из Москвы в отдаленную местность и тем самым надолго разлучить с отцом и матерью. Терроризированная москвичка подчинилась госбезопасности.

Точно так же, как я предвидел, поступят с Аллой. Плачевность ее участи усугубляло вдобавок то, что она была комсомолкой. А потому ей подстроили бы скандальное исключение из комсомола с последующим табу на учительство в школах. Общий итог: ссылка, насильный отрыв от матери, лишение права на умственный труд, репрессивное одиночество неведомо где, под присмотром полиции.

Как говорят русские, беда не приходит одна. Истек срок моей турвизы. Тем не менее я не покинул комнату в «Украине» и принялся давать денежные взятки дежурной наблюдательнице за порядком на моем гостиничном этаже.

Обходил незаметно стороной бюро регистратуры отеля. Там все еще удерживали мой паспорт.

А без паспорта я не мог вместе с Аллой хотя бы предварительно ходатайствовать о нашей будущей женитьбе. Ее разрешить или запретить был волен советский департамент с замысловатым названием «Запись актов гражданского состояния». Сокращенно – ЗАГС.

Но, потребуй я в «Украине» вернуть мне паспорт, то вряд ли успел бы дойти до ЗАГСа. Меня бы тут же задержали из-за беззаконно просроченной визы, позвали бы полицию и могли отконвоировать сходу в аэропорт.

Сентябрьским утром в Быково я пробудился спозаранку, когда Алла еще спала. Мне не хотелось ее беспокоить. Я молча глядел на родное, милое, безмятежное лицо. Внутренний голос подсказал: «Смотри и запоминай». Близкое расставание было уже неотвратимо. Но смириться с этим я не желал. Перед уходом из избы оставил записку: «Вернусь вечером».

В московской «Украине», едва я появился на своем этаже и подошел к двери моей комнаты, как сразу коридорная дежурная подняла трубку телефона и набрала какой-то номер. Раньше такого не было. Мои взятки ей значит перестали действовать. Войдя в комнату и открыв мой вещевой саквояж, я увидел, что его обыскивали.

В комнате забренчал телефонный звонок. Я поднял трубку, сказал: «Алло». В ответ – ни звука. Потом щелчок. Где-то повесили трубку. Я понял: началась охота за мной.

Спустившись на первый этаж в холл, я заметил, как встрепенулись четверо мужчин, сидевших рядком в креслах. Четверка уставилась на меня цепкими глазами сторожевых доберманов. Однако они не накинулись на меня, не взяли под арест. Всего-навсего зорко наблюдали за мной, держась на небольшом расстоянии. Зачем?

Озадаченный их игрой, я подошел в холле к застекленной витрине, где были выставлены сувенирные матрешки и украшения из янтаря. Толстое стекло витрины отражало, подобно зеркалу, все позади моей спины. Включая четверых соглядатаев. Они по-прежнему не проявляли никаких намерений задержать меня.

Это проверяя, я вышел из «Украины» и как бы замешкался в раздумьи. Преследователи рассредоточились вокруг меня. Слева один из них неторопливо достал из кармана пачку сигарет и закурил. Справа второй вошел в телефонную будку, сымитировал разговор с кем-то, но не спускал глаз с меня. Двое остальных сели в припаркованную перед отелем автомашину. Подстраховались, очевидно, на тот случай, если я возьму такси.

Стало ясно: им заказан не мой арест, а плотная слежка за мной. Меня приняли, черт побери, за американского шпиона. Мои частые и продолжительные отлучки из гостиницы в неизвестных им направлениях расценили, вероятно, как секретный обход агентурных явок. Помимо разоблачения шпиона, прикинувшегося туристом, потребовалось сначала выследить его агентурную сеть.

Такая паранойя контршпионажа вполне соответствовала тем временам «холодной войны». И в Соединенных Штатах все тогдашние визитеры из СССР тоже вызывали подозрение спецслужб, тотальную слежку, прослушку телефонных переговоров, тайную проверку знакомств с американцами. Вот и я поплатился за безнадзорные метания по Подмосковью.

Что же было делать? Приставленные ко мне сыщики КГБ не вняли бы, конечно, моим оправдательным речам о дружеском отношении к России. В их понимании, я – коварный враг. А посему предстояло как угодно уберечь от них Аллу. И не предав ее им, повидаться с ней для обсуждения самого главного для меня – как спасти нашу любовь.

В английском и русском языках есть идентичный термин – «игра в кошки-мышки». Это, впрочем, звучит по-английски слегка иначе – «игра кошки с мышкой». То есть смертельная игра один на один. Но за мной крались четыре кошки. Понадеявшись все-таки ускользнуть от них, я замыслил обманный трюк: сыграть роль обреченной мышки, которая уже не способна решиться на побег.

Отойдя неспешно от здания «Украины», я спустился в подземный переход и вынырнул на противоположной стороне Кутузовского проспекта. Зашел в харчевню под вывеской «Столовая». Здесь я обычно питался. И по привычке стал в очередь самообслуживания.

Взял поднос, вилку, ложку и уплатил за каждодневные тут блюда – суп, мясные биточки с макаронами, кисель, хлеб. Перенес их на подносе к свободному месту у одного из столов, но лишь изобразил будто занялся едой: аппетит напрочь отшибло. За окнами «Столовой» прохаживались по тротуару мои «хвосты».

Через полчаса я вышел на проспект и свернул в переулок. Двое «хвостов» последовали за мной. Остальные в автомобиле куда-то запрятались. Пеший агент плелся сзади меня, а его напарник шагал по другой стороне переулка. Попеременно они сменяли друг дружку.

Я увидел башмачно-ремонтную мастерскую и зашел в нее. Волыня время, попросил сапожника починить мне стертые каблуки. Сапожник предложил подождать и выполнил мою просьбу час спустя. За окошком его мастерской слонялись скучливо оба «хвоста».

Расплатившись за каблуки, я продолжил свое бродяжничество. Попал на Киевскую площадь и узрел там вход на станцию метро. Фойе метростанции обрадовало меня многолюдьем. Оно сулило шанс юркнуть в гущу толпы и смыться от сыщиков. Однако они прилипли ко мне, как только я приобрел в кассе метро входные пятикопеечные монеты.

Затем я вступил на длинный эскалатор, опускавшийся вниз, и побежал по его ступеням, увеличивая дистанцию между мной и «хвостами». Они слегка отстали, но не настолько, чтобы я успел добежать без них до метропоезда и умчаться в нем от слежки.

Тем не менее я догадался как перегнать их иным способом: в конце спускавшегося эскалатора вскочил на такой же соседний, но поднимавшийся наверх. И опять побежал по ступеням вверх. А сыщики еще спускались и злобно взирали на меня.

Потом и они переметнулись на поднимавшийся эскалатор и тоже запрыгали по нему вверх. Тем временем я заново взошел на спускавшийся эскалатор и понесся бегом вниз. Мимо меня промелькнули скачущие вверх агенты. Один из них уже выдохся, вспотел, побагровел. Его опередил второй охотник за мной.

Обоих не было, когда я влетел с разбегу в вагон метропоезда. Я возликовал. Но зря! За миг до закрытия дверей вагона туда ввалился запыхавшийся передовик гонки за мной. Он плюхнулся на сиденье неподалеку от меня. Его воспаленные глаза пылали свирепым гневом.

На остановке метропоезда я вышел на платформу и двинулся по ней понуро, переставляя ноги еле-еле и показывая наглядно свою капитуляцию. За мной шел тоже утомленный агент. Он, видимо, думал, что победил, и потому обмяк, проморгав секундный момент, когда двери метропоезда начали смыкаться, а в их щель я проскочил молниеносным рывком.

Поезд поехал, даруя мне заведомо краткую передышку в беспощадной игре своры кошек с американской мышкой.

На следующей остановке я перешел на другую станцию, изменив свой маршрут. Вышел из подземки на площадь у Казанского вокзала. Удостоверился в отсутствии слежки. Сел в электричку, покативую в Быково.

На перроне вокзальчика Быково я увидел Аллу. Она пришла туда, не дождавшись меня в нашей избе. Ведь я петлял по Москве с моими «хвостами» более трех часов. Алла, предчувствуя что-то дурное, разволновалась:

– У тебя какие-то неприятности?

– Да, большие неприятности, – признался я.

– В чем дело?

– За мной была слежка. Я долго избавлялся от нее.

– Почему?

– Чтобы следившие за мной агенты госбезопасности не обнаружили тебя.

– Но ты поступаешь неправильно, – сказала Алла. – Лучше попросил бы продлить твою просроченную визу.

– Ее не продлят. Я уверен в этом стопроцентно.

Пришлось умолчать о том, что меня заподозрили в шпионаже. Я не хотел вызывать у Аллы панический испуг. Постарался успокоить ее:

– Насчет продления визы я последую твоему совету, хотя он, по-моему, невыполним. Предвижу, что завтра меня выдворят отсюда. Но все равно я изыщу возможность вернуться к тебе. Верь мне. И жди меня. Я буду слать тебе письма. А завтра приезжай к восьми часам вечера на Казанский вокзал. Там мы попрощаемся, если это мне удастся.

Она обмерла и побледнела. Я расцеловал ее. И вскоре вошел в электричку, уезжавшую в Москву. До отъезда стоял в тамбуре вагона и глядел на Аллу, застывшую неподвижно на перроне.

Тем утром в холле гостиницы меня обступили трое новых агентов. Они уже не разыгрывали слежку. Троица составляла группку принудительного сопровождения.

В бюро регистрации я высказал просьбу продлить мою туристическую визу на неделю. Это отвергла наотрез сотрудница бюро. Она вернула мне паспорт и чеканным голосом произнесла, что я должен сейчас же отправиться на улицу Горького в ОВИР – государственный Отдел виз и регистрации. После чего рядом с ОВИРом надлежало мне получить в офисе «Интуриста» заготовленный там для меня железнодорожный билет на экспресс Москва-Берлин.

В сопровождении агентов я доехал на метро до улицы Горького, именуемой ныне Тверской. В помещении ОВИРа чиновники взяли мой паспорт и отштамповали в нем визу на выезд из СССР. Это заняло 15 минут. Необычная бюрократическая поспешность означала, что моя судьба загодя предрешена.

В офисе «Интуриста» столь же срочно меня снабдили билетом на поезд, который в тот день отбывал в Берлин вечером в 11 часов 30 минут. А дабы я не вздумал протестовать, работница «Интуриста» очень быстро провела меня в кабинет к двум мужчинам грозного вида. Их добротные штатские костюмы в сочетании с воинской выправкой позволили опознать высокопоставленных офицеров секретной полиции. Главный из них обратился ко мне:

— Как нам известно, вы знаете русский язык. Я представитель советской власти. Объявляю вам, что вы должны покинуть нашу страну в течение 24 часов.

Я вышел на улицу духовно опустошенным. За что меня так жестоко наказывают? Мой единственный невинный грех здесь – любовь к русской женщине и стремление уберечь ее от полицейских когтей. Я ничем не навредил советской власти. Да и вообще, любая государственная власть не вправе разлучать меня с Аллой. Это возмутительно, преступно! Мою жизнь калечат только за то, что я американец. У меня, свободного человека, отнимают свободу любить и быть счастливым...

Так размышляя по-американски в самом центре советской столицы, я превозмог упадок духа и настроился вновь на посильное мне заключительное противодействие полицейскому всевластию. А тем временем трое агентов шли за мной по пятам. Они подступали ко мне все ближе и ближе, потому что уже начались вечерние сумерки.

На улице Горького я миновал серую глыбу Центрального телеграфа и свернул налево в примыкавший к нему Газетный переулок. Прошагал еще пару кварталов. Вышел на улицу Герцена, теперешнюю Большую Никитскую. Двинулся к Манежной площади. Не дойдя туда, увидел неосвещенную подворотню и попал через нее на обширный темноватый двор.

За мной вошли во двор два надсмотрщика. Напоказ им я, прислонясь к стене дома, справил малую нужду. Агенты отступили выжидательно в подворотню. В ту же минуту я бросился в глубь двора в надежде найти какую-нибудь лазейку на волю. Но ее нигде не было.

Проклятый двор вился кишкой в лабиринте соединенных зданий и оканчивался тупиком – бетонной стенкой ограды высотой свыше трех метров.

Уткнувшись в тупик, я разглядел там среди мусора пару грязных ящиков из неотесанных досок. Поставил ящик на ящик и взобрался на них. Они затрещали и могли вот-вот развалиться. Но даже с них было невозможно дотянуться до верхушки бетонной ограды. А если подпрыгнуть, то только один раз, вслед за чем хлипкие ящики несомненно обрушатся.

В баскетбольном прыжке я ухватился пальцами за край ограды, подтянулся и взобрался на нее. Второй прыжок вниз получился менее удачным: я расшиб левую ногу. Прихрамывая, посеменил по Никитскому переулку заново к улице Горького. Спустя несколько минут зашел в метро и доехал до Казанского вокзала.

Прощальное свидание с Аллой было грустным и недолгим. Немного утешало лишь то, что мои преследователи ничего не разнюхали об Алле. Ей не грозило возмездие за нашу любовь. Мы были еще так молоды и оптимистичны, что грезили по-прежнему о будущей совместной жизни. И разговаривали об этом. Я поклялся возвратиться за Аллой в Россию.

Вернувшись в «Украину», я поехал с очередной свитой агентов на Белорусский вокзал. Когда мой поезд тронулся, ночные огоньки московских окраин замелькали в окошке купе. Но мне виделось другое: Алла едет в электричке, идет в Быково к нашей избе, входит, пьет чай с печеньем, глядит на фотографию, где мы вдвоем стоим, взявшись за руки, на пляже в Сочи.

Это видение потом снилось мне по ночам вдали от России.

Возвращение в Россию

Приехав московским поездом в Восточный Берлин, я отправился к пункту полицейской охраны прохода в пограничной «берлинской стене». Предъявил свой американский паспорт и вступил на Фридрихштрассе в Западном Берлине. Но далее не полетел из Германии домой в Нью-Йорк.

Мне хотелось задержаться в Европе, чтобы не удаляться еще больше от Аллы и ухитриться как-нибудь попасть отсюда обратно в Москву. Ради этого я запланировал временно обосноваться в Дании.

Еще два года назад, после моего участия в европейских киносъемках голливудской «Клеопатры» и нескольких итальянских фильмов, мне подвернулась подходящая работенка в датском Копенгагене. Там я устроился спортивным тренером в фитнес-клубе «Рома». Его клиентами были немолодые мужчины и женщины, желавшие сбросить лишний вес и приобрести хорошие фигуры. А я приобрел хороший заработок.

По пути в Копенгаген моими соседями в купе поезда оказались двое – датчанка и студент-цейлонец. Они сидели напротив меня. И вот минут через 20 после отъезда от вокзала студент придвинулся вплотную к женщине и стал, как выражаются русские, «лапать» ее. Она же отпрянула от наглеца и забилась в угол. Однако он продолжал приставать к ней.

Пришлось мне вмешаться:

– Отстань, сукин сын, от нее! Ведь видишь, что она отвергает твое хамство.

Он увидел также, что я намного сильнее его. Отодвинулся от женщины и больше не докучал ей. Она поблагодарила меня. И потом разговорилась со мной.

Ее звали Карэн Нилсен. Она ехала в Копенгаген погостить у матери и отца. Они были активными деятелями компартии Дании. Дочь разделяла политические убеждения родителей. Она работала в Москве на государственной радиостанции, вещавшей на множестве иностранных языков, включая датский. Карэн вышла замуж за русского, но ему не позволили вместе с ней навестить в Дании семью жены. Семью коммунистов!

Что же будет со мной и Аллой, расстроился я, коли московские власти дискриминируют даже преданных им своих и зарубежных коммунистов-супругов?

В Копенгагене отец и мать Карэн встретили ее на вокзале. Они пригласили меня пообедать у них. Позже Аксель Нилсен предложил мне пожить некоторое время в их доме.

70-летний Аксель был очень крепкий старик, занимавшийся со мной по утрам энергичной физзарядкой. Его спортзакалка и коммунистическая одухотворенность помогли ему выжить в пору оккупации Дании гитлеровцами, когда гестапо загнало Акселя в концлагерь.

Он всегда незыблемо верил, что коммунизм восторжествует повсюду. Его веру не подорвал и запрет на приезд к нему русского зятя.

Я возобновил работу тренером в копенгагенском финтес-клубе. Жизнь в датской столице была благоустроенной, бестревожной, отдохновенной. Только мысли об Алле не давали покоя. Психически я испытывал постоянную боль, которую именуют по-русски коротким словом – «тоска».

Мою опечаленность заметил Аксель, спросил о ее причине, и я, видя его искреннее сочувствие, рассказал ему немного о разлуке с любимой девушкой в России.

Вскоре Аксель принес и показал мне газету датской компартии «Ленд ог фолк». В ней напечатали объявление с призывом к местным коммунистам и социалистам сформировать делегацию для платной турпоездки в СССР на празднование 7 ноября 47-летия революции большевиков.

Аксель сказал, что может, используя авторитет в компартии, включить меня в список делегатов, которым даст советское посольство в Копенгагене коллективную въездную визу. Это я воспринял как чудо! Коллективная виза посольства для датских коммунистов спасла меня накануне поездки от вмешательства московского КГБ. Так все прекрасно и сбылось.

29 датчан и единственный среди них американец прилетели в Москву студеным вечером, за пять суток до юбилейного праздника. Нас встретила в аэропорту русская переводчица, говорившая по-датски. Отобрала у всех паспорта, усадила в автобус и привезла в гостиницу «Москва».

По расписанию тура нам предстояло завтра утром улететь из Москвы на три дня для традиционного развлечения интуристов в курортном Сочи. Еще в полете из Копенгагена я приготовился использовать первую ночевку в Москве прежним образом: съездить секретно в Быково к Алле.

В отеле нас расселили по комнатам попарно. Моим сотоварищем оказался Фрэнк Карлсен, датский сапожник, добродушный парняга с улыбчивой физиономией. Он понравился мне. Я понадеялся, что Фрэнк не донесет властям о моей ночной отлучке.

Вынужденная спешка побудила меня не присутствовать на коллективном ужине. Но это я смог бы объяснить завтра тем, что меня сморила моя дорожная усталость.

На первом этаже гостиницы «Москва» был подвальный вход в метро. Туда я спустился и доехал до Казанского вокзала. От него на электричке – в Быково. Там я очутился уже в ночной мгле после 10 часов вечера. Но отчетливо помнил дорогу к избушке, арендованной Аллой.

Шел по осенней слякоти, ежась от холодного ветра. Скелеты уличных деревьев уже утратили листву. Зато я радостно избавился от русской тоски.

Однако возле избы испытал внезапный шок разочарования. На запертой двери висел железный замок. Ставни окон были наглухо захлопнуты. Я стучал по ним, но совершенно безответно. Внутри никого не было. И вообще изба выглядела необитаемой.

В горячке отчаяния я все-таки вспомнил: два месяца назад Алла мельком посетовала, что с приходом зимы захудалая изба промерзнет, и тогда Аллу приютит, возможно, ее приятельница в соседнем утепленном домике. Подойдя к нему, я увидел неяркий свет в одном оконце.

На мой стук по окну возник за стеклом женский силуэт. Незнакомый голос откликнулся:

– Кто там стучится?

– Я ищу Аллу Ивановну. Она здесь?

К стеклу приникло лицо второй женщины, по которой я безумно истосковался. Она спросила:

– Кто там?

– Это я, Джо.

– Ой, дорогой, ты вернулся!

Она открыла дверь и впустила меня в полутемную прихожую. Мы обнялись. Я целовал любимое лицо, шею, волосы, ее трепетные руки. Позади Аллы смущенно разглядывала нас пожилая женщина. Алла шепнула:

– Ты явился надолго?

– Нет, к сожалению.

– Ладно, пойдем туда, где побудем вдвоем, не стесняя никого.

Она надела пальто и вывела меня на безлюдную улицу. Рука об руку мы дошли до вокзального здания небольшого аэродрома. В пассажирском зале ожидания сели на скамейку. Неподалеку дремали застрявшие тут путники, не обращая на нас никакого внимания. Иного укромного места для нашего свидания не нашлось.

Обнявшись, мы рассказывали о прожитых порознь днях и неделях. Алла говорила об учительстве в школе. Я пересказал ей свою историю заезда в Копенгаген и знакомства с датским коммунистом, который помог мне возвратиться сюда в обход моих бдительных недругов из КГБ.

– Они не досаждали тебе? – побеспокоился я.

– Ничего такого не было, – ответила Алла.

Я сообщил, что вынужден утром улететь с тургруппой в Сочи и не знаю еще точной даты возврата в Москву, о чем извещу Аллу заранее по почте.

Сказал и об изъятии снова моего паспорта. Это выслушала она безмолвно. Никак не отреагировала на вторичный крах нашего замысла отправиться вместе в советский ЗАГС.

Мы бессловесно уже осознали иллюзорность прежних радужных планов. И просто наслаждались теперь каждой минутой запретного свидания. Не желали сегодня заглядывать наперед в роковое будущее нашей любви.

В пять часов утра я проводил Аллу к дому ее подруги, пошел на железнодорожную станцию и поехал в Москву на первой утренней электричке. Боялся не поспеть к отбытию датчан из отеля в аэропорт.

Когда я подбежал к парадному подъезду гостиницы, то увидел, что датчане уже садятся в автобус. А его багажник загружен их чемоданами. Опоздай я еще на пять минут, угодил бы в лапы полиции без паспорта, визы, авиабилета.

В холле отеля у стойки регистратуры стояла русская опекунша нашей делегации и говорила с кем-то по телефону визгливым тоном. Увидев меня, она утихомирилась и буркнула что-то в телефонную трубку. Доложила, очевидно, куда следует, о появлении ночного беглеца.

Она ужалила меня колким взглядом и раздраженно ткнула пальцем в лежащий на стойке мой саквояж. Схватив его, я вскочил в автобус.

Пока ехали в аэропорт, датчане поглядывали на меня с откровенным осуждением. А впоследствии подвергли негласному бойкоту. Гид-переводчица вела себя таким же манером. И даже не ответила на мой вопрос о дне обратного перелета из Сочи в Москву.

Только мой вчерашний компаньон Фрэнк Карлсен держался дружески. От него я узнал, что мы вернемся в Москву 6 ноября. Он добавил:

— Когда обнаружилось ваше отсутствие в отеле, то многие делегаты высказались неодобрительно о присоединении к ним странного американца.

В Сочи разместили тургруппу в гостинице опять попарно. Однако мне дали отдельную комнату в коридорном отсеке, где соседние комнаты пустовали. Их наружные балконы примыкали к моему.

Ночью я проснулся от скрипа балконной двери и увидел за ней тень человеческого роста. Я включил электросвет, и призрак покинул мой балкон. Кто-то убедился, что я лишь в Москве разгуливаю, как лунатик, по ночам.

Затем я подвергся дневной проверке: в саду отеля подошла ко мне пышнотелая путана и напрямик предложила на английском языке повеселиться с ней. Я отказался. А вслед за ней возник мужчина средних лет, подпольный спекулянт или полицейский провокатор, который возжаждал купить мою рубашку, сводить меня в ресторан, угостить водкой и коньяком. Учуяв ловушку, я не клюнул на приманку.

И все-таки глупо сплоховал! Опустил в почтовый ящик гостиницы адресованную Алле открытку: «Встретимся 6 ноября в восемь часов вечера на станции Быково». Моя открытка, как выяснилось потом, была извлечена шпиками из почтового ящика и дала им по моей вине полицейскую наводку на Аллу.

Улетая из Сочи с датчанами в Москву, я, простофиля, не предполагал, что моя почтовая беспечность губительно аукнется Алле.

В Москве наша тургруппа поселилась в отеле «Берлин». Окрестные улицы центра столицы выбелил снег. Красные флаги алели на фасадах домов вперемежку с багряными полотнами лозунгов во славу юбилея компартии. Вожди ее Политбюро на их колоссальных уличных фотопортретах взирали торжественно на москвичей, предвещая тоже завтрашний праздник.

Но другим был мой настрой: как бы украдкой выбраться из гостиницы и попасть в Быково не позднее 8 часов вечера. Для этого я мог воспользоваться в здании «Берлина» двумя выходами – парадным и боковым.

Однако парадный выход перекрыли мне трое агентов с автомобилем наготове. А боковой блокировали двое пеших сыщиков. Этих «хвостов» я предпочел как наименьшее зло.

Позади меня они вошли на метростанцию «Площадь Революции». В метро я решил не повторять устаревший фокус с беготней по эскалаторам. Требовалось изобрести что-то новое. Но на подъезде к метростанции Казанского вокзала мои «хвосты» сами отвязались почему-то от меня. Возникло тревожное предчувствие непредугаданной беды.

В электричке я не заметил каких-либо признаков слежки. Приехал в Быково вовремя. Но на платформе не было Аллы. Вместо нее меня поджидал один из московских «хвостов»!

Я заскочил опять в электричку, а «хвост» не последовал за мной и неподвижно наблюдал как поезд отбыл из Быково. Я занервничал: что происходит?

После отъезда из Быково я вышел на второй остановке электрички и через десять минут сел в поезд обратного направления. Вернулся в Быково и не увидел на перроне ни агента, ни Аллы.

В недоумении вступил на пристанционную площадь и остолбенел: там стояли в едином строю три черных лимузина, а перед ними – шестеро мужчин в одинаковых чернокожаных пальто. Все чернецы смотрели на меня пристально, по-волчьи хищно. Жертва их охоты попала наконец-то в западню.

И только тут меня осенило: моя сочинская почтовка Алле была перехвачена и нанесла нам непоправимый урон фатальным ударом бумеранга.

Горечь поражения пронзила мена. Но не сломила волю к сопротивлению. Попав в охотничий капкан, я попытался, как раненое животное, обороняться до последнего вздоха. Отпрянул стремительно от шестерки агентов и побежал назад к станционным платформам. Агенты последователи за мной столь спокойно, как будто знали, что я от них уже не спасусь.

На станции Быково был пешеходный туннель под рельсами и перронами для электричек, приезжавших из Москвы и ехавших вспять. Вбегая в туннель, я увидел поезд, прибывший из столицы. Его пассажиры спускались в туннель, а я столкнулся с ними.

И застыл от изумления – навстречу мне шла Алла с тяжелой продуктовой сумкой! С того волшебного момента я верю в спиритическую силу телепатии, в интуитивную взаимосвязь породненных душ.

Алла увидела меня и чернокожаных «хвостов» позади. Поравнялась со мной и произнесла скороговоркой:

– Они все разузнали. Выведали все о тебе.

Я тихо сказал:

– Завтра после полудня буду ждать твоего телефонного звонка в гостинице «Берлин».

Назвал номер моего телефона, и мы мгновенно разошлись.

Я выбрался из туннеля на платформу и был сразу же остановлен тремя милиционерами. Один заявил мне:

– Вы арестованы за нарушение 40-километровой зоны для иностранцев вокруг Москвы.

Эта придирка была отчасти резонной: хотя Быково находилось внутри доступной иностранцам зоны, но ведь я менее часа назад отлучался отсюда на электричке и мог пересечь границу полицейской зоны.

Милиционеры обступили меня и повели на пристанционную площадь. Чуть поодаль шли шестеро агентов. Вдруг к нам метнулась Алла:

– Освободите его! Он не сделал ничего плохого.

В итоге она оказалась со мной в милицейском участке. Туда же вошли агенты. Меня начали допрашивать, а ее выпроводили в соседнее помещение. Оттуда раздались пронзительные крики Аллы. Она кричала так душераздирающе, что было ясно – ее бьют.

Я кинулся к ней на выручку, но агенты и милиционеры скрутили меня и притиснули к сиденью стула. Навалились гуртом мне на плечи, заломили руки. А когда крики прекратились, офицер милиции умышленно очень долго писал протокол о моем задержании. Избитую Аллу они уже отпустили, чтобы я не смог доказательно засвидетельствовать их изуверство.

Кучка агентов проводила меня до электрички. Один из них зашел со мной в вагон и уселся там на изрядном расстоянии. Нас разделяли несколько рядов скамеек, занятых людьми. Не будь их, я бы переломал кости этому негодяю.

С Казанского вокзала я добрался на метро до Площади Революции и пошел по ней к гостинице «Берлин». Площадь была по-ночному пустынной. Только агент шагал за мной на дистанции метров тридцати. Я развернулся и побежал к нему, сжав кулаки для рукопашного поединка. Но агент драпанул от меня к метростанции, где прохаживался по тротуару постовой милиционер. К нему подлетел трусишка и что-то пролепетал, указывая на меня. Так я не смог отомстить за Аллу. И поковылял в отель, матерясь лихорадочно по-английски.

7 ноября все участники датской делегации ушли на Красную площадь с пригласительными билетами на праздничный парад. И я пошел бы, если бы вчера не отравили мне праздник истязанием Аллы в Быково.

Остался в отеле и ждал ее телефонного звонка. Она позвонила мне, несмотря на вчерашний кошмар. Русские женщины, видать, самые отважные. Мы договорились увидеться вечером в кинотеатре «Россия».

За мной тащились до «России», как обычно, два «хвоста». Но уже не было никакого смысла скрывать от них свидание с Аллой.

Встретив ее у кинокассы, я не заметил на любимом лице синяков от побоев. Каким же измывательствам подвергли ее – не стал расспрашивать, чтобы она не расплакалась.

В кинотеатре показывали довольно нудный фильм про космос. Зал был малолюден. Мы сели в последнем ряду. Перед нами расположилась лишь пара лже-зрителей – мои «хвосты». Громкий звук экранных голосов и музыка мешали агентам подслушивать наши разговоры.

Алла подтвердила, что не получила моей открытки из Сочи. Она рассказала, как три дня назад пришли к ней в школу офицеры контрразведки и принялись допытываться: «Кто такой американец Маури? Как он связался с вами? О чем он говорит? Какие вопросы задает?»

Офицеры побывали также в отделе кадров школы и обследовали служебное досье Аллы. Они отправились в поселок Крутое, посетили дом Аллы и ее матери, опросили соседей. У них дознавались: с кем общается Алла, кто ходит к ней в гости, как по ночам проникает сюда американец?

Под конец расследования контрразведчики, видимо, убедились, что я не шпион. Аллу спросили:

— Вы, кажется, любите этого американца?

— Он мой друг, — ответила она. — И это мое личное дело.

— Нет, не личное, — объявили ей. — Ваше поведение подрывает устои советского общества. Мы официально требуем прекратить ваши порочные отношения с гражданином США. В противном случае пеняйте на себя. Мы защищаем государственные интересы и можем обуздать вас крайними мерами.

Их «крайние меры» начались с полицейского битья. А каково будет, ужаснулся я, дальнейшее продолжение? Как еще пострадает Алла за наше сегодняшнее свидание? Моя любовь обернулась для нее несчастьем. Избавление от него – наша разлука. Но это было тогда для меня почти равнозначно самоубийству.

Мы вышли из кинотеатра с похоронным настроением. Алла решила поехать в Крутое к матери. Только мать могла, вероятно, утешить ее хоть немножко. Я проводил Аллу на Курский вокзал. Держал за руку до посадки в электричку.

Вагон, куда вошла Алла, имел одно разбитое окно. Через него мы опять сомкнули ладони, сблизили лица, смотрели нежно глаза в глаза. А когда поезд тронулся, Алла сорвала у меня с головы шапку-ушанку из искусственного меха. Я догадался, что она, прощаясь со мной навсегда, взяла мою вещицу на память.

Ее женское чутье было безошибочным. Утром я по вызову администрации отеля спустился в холл первого этажа. Там подошли ко мне трое агентов и сотрудница администрации. Она приказала:

— Упакуйте ваши вещи. Вас отвезут сейчас в аэропорт.

Когда я, взяв саквояж, вернулся в холл, агенты вывели меня из гостиницы и посадили в их черный автомобиль. На заднем сиденье два конвоира сдавили меня меж ними. Они не вымолвили ни слова до аэропорта «Внуково». Там сунули мне оплаченный ими авиабилет и доставили к трапу самолета «Финэйр», улетавшего в Хельсинки.

После взлета стюардесса, взглянув на меня, озабоченно поинтересовалась:

— Вы чем-то больны?

— Нет, — ответил я. — Всего лишь наказан на любовь.

Она непонятливо вздернула брови и отошла, сочтя меня шутливым чудаком.

Я приник к иллюминатору, глядя вниз на бескрайние снежные поля. От них веяло таким ледяным холодом, что показалось зябко даже в теплом салоне авиалайнера. Прощай, Россия, безжалостная снежная королева! Прощай, Алла.

22 года спустя

В Нью-Йорке я месяц за месяцем слал Алле письма и небольшие посылки с разными сувенирами. Но ни разу она не откликнулась. Потому что ничего, конечно, не получила от меня. Почта была в те годы одним из невидимых фронтов «холодной войны».

Алла снилась мне часто, но не так успокоительно, как раньше. Теперь я, заснув, шел лунной ночью по пыльной дороге снова к поселку Крутое. Видел смутно впереди фигурку белокурой девушки. Бежал к ней, но она удалялась от меня и исчезала за воротами деревенской изгороди. Я открывал ворота, но нигде не видел ее, искал в потемках, рыскал повсюду, задыхался... и пробуждался от бешеного сердцебиения.

Хотя у меня грабительски отняли мою любовь, это не разожгло огульной злобы ко всему в России. Я запомнил уличную приветливость простых москвичей к незнакомому им американцу. Не забыл, как советский газетчик из «Москоу ньюс» рискованно помог мне пренебречь полицейскими запретами. Помнил щедрую доброту ткачихи в ночном Орехово-Зуеве. Все эти русские люди, по-моему, олицетворяли Россию гораздо больше, чем ее секретная полиция.

Вместе с тем безвозвратная потеря Аллы надломила меня и как бы заморозила изнутри. Еще несколько лет в Нью-Йорке я актерствовал и подвизался в спортклубах, однако работал уже без всякого вдохновения, механически, вяло, ради лишь прожиточных заработков. Они становились все меньше, что перестало меня волновать.

Постепенно приспособился покупать самые дешевые продукты и низкосортную одежду, которую привык подолгу использовать до полного износа. Об этом постороннее мнение стало мне безразлично.

Заодно опостылели общепринятые развлечения – кино, мюзиклы, телевидение. Зажил совсем не по-американски: без телевизора, без телефона. Осталось, впрочем, старое пристрастие к исторической литературе, небульварным газетам и книгам о России. Эти книжки сохраняли мои московские воспоминания, но они все-таки увядали неумолимо от роста их давности – 10 лет, 15 лет, 20 лет.

Из туманной дали многолетнего прошлого всплывал блекнущий облик Аллы и возрождал у меня примерно такую же боль, которую чувствует иногда инвалид в части его тела, ампутированной давным-давно.

20 лет спустя после разлуки с Аллой я зарабатывал по-бедняцки только на пропитание и оплату аренды маленькой комнаты. Трудился упаковщиком и грузчиком газет в типографии «Нью-Йорк таймс».

Район моего жилья подвергся поэтапной джентрификации: малоденежных арендаторов выселяли из их комнат, освобожденные помещения превращали в дорогие квартиры и сдавали богатым горожанам. Меня выселили дважды. А весной 1985 года известили о предстоящем третьем выселении.

В апреле 1985 года на манхэттенском Вест-Сайде я получил письменное уведомление о выселении меня не позже 31 мая из комнаты пятиэтажного дома на 70-й стрит. Уведомление подписала домовладелица Дениз Собел. Ее отец Эдмунд Литтлфилд, финансист-миллиардер, числился в перечне 400 богатейших американцев в «Справочнике Форбса».

Замужняя дочь миллиардера владела домами в Нью-Йорке и штате Коннектикут. В принадлежавшей ей пятиэтажке, где обитал я, миссис Собел очистила от малоимущих квартирантов уже 22 комнаты. Я стал одним из последних жильцов, обреченных ею на изгнание.

Впервые в моей жизни я попытался воспротивиться американскому всесилию больших денег. Отправил письма с просьбами защитить меня наиболее влиятельным персонам Нью-Йорка – мэру Кочу, кардиналу О'Коннору, главному раввину синагоги, чьей прихожанкой была домовладелица Дениз Собел. Но мои петиции остались безответными.

Обратился также в городской суд. Однако судейская коллегия по проблемам домовладения единогласно постановила, что миссис Собел имеет право выселить меня. И на исходе лета явился ко мне офицер спецполиции по насильственному выселению. Он сказал, что мне дана отсрочка до ноября, а затем, если я не подчинюсь приговору суда, то меня силком вышвырнут из моей комнатенки на улицу.

Вслед за тем миссис Собел объявила мне злорадно:

– Таким, как ты, место в ночлежке для бездомных!

Бездомных было тогда в Нью-Йорке 60 тысяч. В трущобных убежищах для них им предоставляли на ночь только койку. А днем они бродяжничали по городу, попрошайничали, питались чужими объедками.

Пришлось мне перед выселением избавиться поневоле от своего единственного достояния – накопленных двух сотен книг. Я вынес их на тротуар и раздал случайным прохожим. Оставил лишь матрац и целлофановую кошелку со сменой белья.

Однажды кто-то постучал в мою дверь. Я опасливо посмотрел в дверной глазок, предчувствуя приход полиции. Но за дверью стоял незнакомец в штатском. Приоткрыв дверь, я настороженно просил:

– Что вам угодно?

– Меня зовут Иона Андронов, я журналист, – произнес он по-английски с таким специфичным акцентом, от которого у меня екнуло сердце.

– Я хочу, – продолжал он, – рассказать о вас в моей газете.

– В какой газете?

– Это «Литературная газета». Издается в Москве. Она весьма популярна в Советском Союзе.

Боже мой! Предо мной стоял человек из России. Я впустил его в комнату, принялся отвечать на его вопросы, но он не знал, что разговор с ним уносит меня мысленно на 20 лет назад в полузабытую Москву к моей молодости и несчастной любви.

Русский газетчик не знал, что я, глядя на него, вижу вовсе не его, а ожившее в памяти милое, ненаглядное, грустное лицо Аллы в разбитом окошке уезжающей электрички.

Москвич не знал, что его деловой визит почудился мне судьбоносным. Андронов не знал, что я молчком прозвал его Посланником.

Он удивил меня тем, что позвал по-соседски в гости. Его жена Валентина оказалась по-русски душевно-доброжелательной. Они сострадающе отнеслись к моим жилищным невзгодам, однако ничем не могли помочь, будучи чужестранцами. Я побывал у них не раз, но не откровенничал о своем стародавнем конфликте с КГБ из-за любви к советской гражданке.

В начале осени 1985 года Андронов познакомил меня с приехавшим в Нью-Йорк московским литератором Генрихом Боровиком. Он возглавлял киносъемочную группу, делавшую фильм о бездомных американцах. По просьбе Боровика я разрешил накануне моего выселения заснять свое неприглядное жилье с матрацем на полу. И согласился выступить в кинороли рассказчика и проводника по трущобам Гарлема, манхэттенского Бауэри и на фешенебельной Пятой авеню.

Я сознавал, что Боровик эксплуатирует меня для заказанной ему политпропаганды, а она не спасет меня от бездомности. Вместе с тем и мне хотелось использовать по-своему советскую кинопропаганду: изобличить публично таких бессовестных богатеев, как Дениз Собел, за их наглое изгнание из жилищ обездоленных сограждан. Кроме того, российский фильм мог бы, как понадеялся я, послужить мне пропуском обратно в Москву для возвращения к Алле.

После нескольких дней киносъемок Боровик уехал, а еще через месяц меня выселили. Но одновременно, как по волшебству, мою участь облегчила нью-йоркская меценатка Мег Бойл. Она милосердно арендовала мне крохотную комнату в ее приюте для бедняков на 87-й стрит. Туда перенес я свой матрац и вещевую сумку. Туда же приходил приободрить меня подружившийся со мной Андронов.

Советский фильм с моим участием экранизировали в России весной 1986 года. И тогда же разгромная рецензия об этом фильме появилась в «Нью-Йорк таймс». Прочие городские газеты и телевидение изобразили меня продажным изменником, подлым пособником «империи дьявола». А моим шпионским подстрекателем объявили Андронова, хотя он никак не фигурировал в московском фильме о наших бездомных. Ему припомнили вдруг первоначальную заметку обо мне в его газете.

В типографии «Нью-Йорк таймс» начали обзывать меня «красным комми». Пятеро моих сослуживцев сказали мне, что были бы рады убить меня. Подавляющее большинство американцев слепо верит любым наветам нашей прессы, в отличие от тогдашней советской публики, которая воспринимала их журналистику зачастую скептически или вовсе никак.

Издатели «Нью-Йорк таймс» втихую настропалили послушного им профбосса типографии Эда Бурке собрать его подчиненных и провозгласить непререкаемый вердикт:

— Надо выгнать Маури отсюда. Здесь нет места таким, как он.

Так я лишился работы. Вместо зарплаты получил нищенское пособие безработного и продовольственные талоны для неспособных прокормить себя.

Ради моральной поддержки принес мне Андронов полученное «Литературной газетой» письмо от жившей в советском Крыму женщины по имени Антонина Ингауэр. Она звала меня пожить в ее доме безвозмездно и отдохнуть. Да еще предлагала оплатить мой авиабилет из Америки в Россию.

Это благородное приглашение побудило меня и Андронова спланировать мою поездку с ним в Россию во время его летнего отпуска. Андронов взялся договориться со своими газетными начальниками о моем месячном отдыхе у них в качестве гостя.

Такая передышка подвернулась весьма кстати для меня, хотя грозила новой вспышкой негодования американской прессы. Но в Нью-Йорке мне, пожалуй, уже нечего было терять. Даже в приюте бедняков на 87-й стрит кто-то пачкал дерьмом ручку двери моей комнаты.

В августе я, Андронов и его жена Валентина вылетели на советском самолете в Москву. Я продолжал скрывать пока от русских друзей невысказанную полупричину моего путешествия – повидаться с Аллой.

В Москве и трех других городах мне устроили серию встреч с коллективами фабрик, учреждений, школ, журналистских редакций. Везде высказывали горячее сочувствие и хотели оказать денежную помощь. От нее я вежливо отказывался, чтобы не способствовать клевете американской прессы о моем подкупе. Симпатизировавших мне русских я просил об иной поддержке: подписать апелляцию к властям Нью-Йорка о запрете массовых выселений обедневших квартирантов.

Оказанное мне повсеместное гостеприимство не было инсценировкой советских чиновников. Доброта – врожденное свойство русского народа. А он обрел заново такую свободу, какой не было в 1964 году, когда меня выслали из России. Там теперь возникла политическая оттепель, названная «перестройкой».

Пугало КГБ уже не внушало прежнего всеобщего страха. Видя это, я без опаски рассказал наконец-то Андронову все свои любовные злоключения 22 года назад. И признался, что приехал с ним сюда, надеясь вернуться к Алле.

Это сперва обескуражило моего друга. Затем, однако, он выяснил через адресную службу милиции, что Алла Ивановна Голубкова не проживает более ни в подмосковном поселке Крутое, ни в Быково, ни в Москве. Спустя неделю он огорчил меня новым известием: нигде в СССР не зарегистрирована гражданка Алла Ивановна Голубкова. Но и после этого мне не верилось, что она умерла.

И вот настал памятный день, когда Андронов сообщил мне, что некая женщина – Альбина Тихомирова – позвонила по телефону в редакцию «Литературной газеты» и попросила помочь встретиться со знакомым ей американцем Джозефом Маури. Это была моя Алла!

Она в пору нашей молодости придумала себе красивое имя – Альбина. Зачем? Объяснить несложно: почти каждая девушка старается приукрасить себя красивым нарядом, красивой обувью, красивой шляпкой, бижутерией, косметикой. Все это было редчайшим дефицитом у русских в 60-е годы. Вот и вздумала провинциальная простушка с заурядным именем Алла преобразиться, как сказочная Золушка, в феерическую Альбину. А я не насмешничал над причудой моей возлюбленной и ради ее удовольствия старался пореже называть ее вслух Аллой.

Ныне Альбина Тихомирова жила в подмосковном городе Люберцы. Туда добрался я привычно, на электричке. Как встарь, мы повстречались на станционном перроне, обнялись и поцеловались. Прослезились.

Минувшие годы изменили нас внешне. Она превратилась из грациозной девушки в дородную даму. Я полысел, исхудал, утратил молодецкую стать атлета. Слишком долгая разлука сделала нас другими людьми. Совсем другими.

Пока мы шли к ее дому, она рассказала, что побывала замужем, родила сына, развелась. Фамилия бывшего мужа – Тихомиров. Когда после свадьбы с ним она стала Тихомировой и потому получила в милиции новый паспорт, то сменила заодно и свое имя. Однако перевоплощение в Альбину впоследствии не осчастливило ее красивой жизнью.

В пролетарских Люберцах школьная учительница и ее сын жили в однокомнатной квартирке многосемейного дома. От него невдалеке имелся у Альбины небольшой огород, где она выращивала огурцы, помидоры, лук, капусту. Эти витаминные продукты были существенным подспорьем скромного пропитания матери-одиночки и ее сына.

Альбина ввела меня в свое жилище, открыла створки шкафа, извлекала оттуда картонную коробку и вынула из нее шапку-ушанку. Ту самую, которую сорвала с меня на память в последний миг нашего прощального свидания 22 года назад на Курском вокзале.

Я растроганно приник к Альбине. Мы присели на колченогий и скрипучий диванчик. Но поблизости истошно зазвонил телефон. Альбина привстала, подняла трубку, сказал кому-то «здравствуй» и повернулась ко мне спиной. Произнесла тихо несколько отрывочных фраз. Тем временем я заметил сбоку от дивана настенную полочку с обрамленной фотографией смуглого мужчины.

Альбина положила трубку на телефонный аппарат и повернулась скованно ко мне. Я увидел в ее глазах смущение и досаду. Хотя все понял, однако не сдержался:

– Мне послышалось, что ты говорила с каким-то мужчиной?

Она молча кивнула головой утвердительно. Спасибо, что не солгала. Спасибо, что не подорвала уважение к ней. А ревности я не почувствовал. Ведь любил и не разлюбил Аллу. Похожая на нее Альбина была, как обнаружилось, другой женщиной с нелегкой судьбой, неудачным браком, исчезнувшей молодостью и безрадостным одиночеством, которое скрашивали хоть какие-то ее местные кавалеры.

Мое здешнее прошлое сгинуло безвозвратно. К нему не доедешь на подмосковной электричке по маршруту «Москва-Люберцы-Быково и далее везде».

В тот день я все же не смог и не захотел распрощаться с Альбиной. Былая любовь к ней не угасла окончательно. Ее сменила не менее сердечная привязанность к женщине моих долголетних грез. Но как бы их остатки тоже не растерять? Упросить Альбину отправиться со мной в Нью-Йорк?

Это было бы трагическим безумием. Моя подруга очутилась бы в тесной комнатушке трущобного приюта для бездомных. Мое денежное пособие безработного американца обрекало нас обоих на полуголодное житье. Русская преподавательница английского языка не нужна в Нью-Йорке никому. В лучшем случае она могла бы стать всего лишь ничтожной посудомойкой. И сделать своего сына в Люберцах беспризорником.

Поэтому я не позвал ее к себе в Нью-Йорк. Мы условились встретиться завтра в Москве. Она приехала туда, и мы гуляли полдня по столичным улицам. Альбина сказал, что готова выйти за меня замуж и поселиться со мной в Москве. Но где?

Ее ответ поразил меня деловым практицизмом. По словам Альбины, теперь я настолько знаменит и обожаем в России, что нам двоим, новобрачным, якобы подарят запросто столичную квартиру и автомобиль, а мне дадут советское гражданство. Она изрекла это безапелляционно твердым голосом учительницы, привыкшей командовать школярами.

Потом повела меня в недоступный советским гражданам инвалютный магазин «Березка». Там я расплатился долларами за выбранные ею для себя подарки.

Позже я пересказал вкратце Андронову пожелания Альбины, но он бессловесно только хмыкнул. Он пообщался с нею ранее, уклонившись, однако, от товарищеской беседы со мною о его впечатлениях насчет Альбины. Андронов подчеркнуто выказывал невмешательство в мои интимные проблемы.

Лишь один раз я вынудил его дать мне дружеский совет.

– Поступай как хочешь, – проговорил он. – Учти, впрочем, что американцу будет трудновато приспособиться к жизни в нашей стране. Настоятельно рекомендую, как бы то ни было, не аннулировать твой паспорт гражданина Соединенных Штатов.

Далее на свиданиях с Альбиной я попросил дать мне время обдумать хорошенько ее проект нашего супружества в Москве. Она поняла, что я не останусь ради нее в России, но вместе с тем не хочу обидеть и рассориться. Наша прошлая любовь еще не зачахла полностью и помогла избежать разрыва. Я пообещал вернуться через год в Москву.

То обещание я сдержал. И затем опять, копя экономно деньги в Нью-Йорке на авиабилет, прилетал в Москву, навещал Альбину в Люберцах, а жил у Андроновых, в их московской квартире и на загородной даче. Так я обрел свой второй дом в России. И свою русскую семью – Иону и Валентину. Благодаря их бескорыстной дружбе, я смог оплачивать ежегодно только авиабилеты для челночных полетов к женщине, которую так и не разлюбил.

В сентябре 1999 года я, прилетев в Москву, поселился, как обычно, у Андроновых, и поехал в Люберцы к Альбине. Мы с ней не виделись одиннадцать месяцев, но за этот недолгий срок она катастрофически исхудала. Сгорбилась и так ослабла, что у нее мучительно дрожали ноги от каждого шага по комнате. Еще недавно лучезарные глаза потухли. Она сказала, что ее обследовали доктора районной поликлиники и сообщили 11 сентября заключительный диагноз:

– У вас рак 4-й степени. Поражены кишечник и печень. Хирургическая операция уже не поможет.

Потрясенный ее словами, я попытался ласково внушить ей, что есть у современной медицины интенсивные методы лечения рака. Надо спешно обратиться в Москве к врачам, обладающим новейшей онкологической аппаратурой. Эту возможность упустил ее повзрослевший сын Марк, так как он сам был болен заразной хворью нынешней молодежи – наркоманией и криминальной добычей дурманного зелья.

Утром 15 сентября Альбина позвонила Андроновым и позвала меня к телефону. Она плакала:

– Приезжай, пожалуйста. Я умираю.

В тот же день мы поехали на такси в столичный Онкологический научный центр на Каширском шоссе. Огромный зал приема пациентов был переполнен жертвами раковых заболеваний. Пришлось томиться в длинной очереди к дежурной вахте медиков. Альбина полуобморочно скорчилась на дермантиновом креслице. Я поддерживал ее, стоя рядом.

Под конец впустили Альбину в онкологическую палату, а вскоре она, шатаясь, вышла оттуда. Ей вручили рецепт лишь на какие-то обезболивающие таблетки. Я без нее ворвался в палату и возмутился:

– Почему вы не прописали ей химиотерапию и противораковое облучение?

– Это слишком поздно для нее, – ответил онколог.

– Она умирает?

– Да.

Я отвез Альбину обратно в Люберцы. Три недели спустя она скончалась 6 октября 1999 года.

Постскриптум

Альбина Тихомирова похоронена на подмосковном Люберецком кладбище. Ее могила на окраине погоста помечена невысоким крестом под сенью зеленой хвои сосен.

Когда Джозеф гостит у меня в Москве, мы покупаем в цветочном киоске букет гвоздик, едем на метро до Кузьминок, пересаживаемся на загородное такси-маршрутку и выходим на остановке у Люберецкого кладбища. Там зимой снег по колено. И мы протаптываем проход к могиле Альбины, шагая друг за другом, след в след.

Джозеф кладет цветы под надгробным крестом. Стоит и шепчет что-то по-английски. То ли молится, то ли разговаривает с покойницей. Чтобы не мешать ему, я отхожу от него на полсотни шагов и присаживаюсь на арматуру низкой ограды какой-нибудь могилы. Белоснежное кладбище навевает соответственные мысли о самом себе. Жаль, что меня воспитали в советском безбожии, лишив веры в потустороннее бессмертие души.

Но зато я доволен, что Джо на излете советской эпохи не поддался тогда искушению поселиться в Москве с его Альбиной. Я прожил почти 12 лет в Америке и постиг на собственном опыте аксиомную истину: самая благополучная, но чужая страна – все равно мачеха. Она, даже незлая, хуже родной матери, иногда сварливой или несправедливо жестокой. Подлинный русак навсегда останется чужаком среди американцев, а янки – таким же у нас.

Моему нью-йоркскому приятелю жилось бы тут вдвойне плохо, когда в Москве начали публично бранить советскую власть и принялись охаивать поголовно всех, кому она где-либо покровительствовала. Сперва в нашей прессе ее перевертыши изругали с особым смаком небезызвестную Анжелу Дэвис, американскую коммунистку. А весной 1989 года газета «Московские новости», чьим подписчиком был Джо, напечатала о нем издевательскую статейку, высмеяв ехидно даже его «смешную шапчонку».

В ответ я послал главному редактору «Московских новостей» критическое письмо о неэтичности издевок над настроенным дружески к ним безработным бедняком. Однако неугодное главреду письмо, как принято и поныне, выбросили в мусорную корзину.

В мае 1999 года столичная «Комсомольская правда», отрекшись своевременно от комсомола, вспомнила зачем-то о Джозефе. Анонимная заметка под заголовком «Забытые имена» гласила:

«По последним данным, Маури какое-то время находился в госпитале для душевнобольных, а затем – в психбольнице тюремного типа».

Это вранье было, очевидно, отголоском другого пасквиля трехгодичной давности в «Московском комсомольце». Его борзописцы сочинили в 1996 году тошнотворный детектив о том, как Джозеф приехал первый раз в Россию, заполучив якобы у американских спецслужб агентурную кличку Маугли. Хулиганскую, по-моему, брехню все-таки процитирую отрывочно:

«В середине шестидесятых годов на одну из крупных строек в России прибыла большая группа иностранных рабочих. Был в ее составе и Маугли, в прошлом американский учитель физкультуры, уволенный из привилегированной школы. Вместо того, чтобы укреплять тела учеников, сей несостоявшийся педагог растлевал девичьи души. Вскоре у него появилась зазноба в подмосковной Балашихе. Зазноба разродилась сыном. Кроме того, нашлись общие алкогольные интересы.

Маугли быстро сошелся с бомжами, среди которых прославился благодаря умению играть в карты. Мелкие мошенничества, кражи на вокзалах и в пустующих зимних дачах – всему этому пришлось американцу научиться. Но в Москве совершенно справедливо рассудили, что у нас своих воров хватает, чтобы еще ввозить их из-за рубежа. И бывшего учителя физкультуры выдали американцам. Он в данный момент обитает в одной из американских тюрем то ли за кражу, то ли за изнасилование».

Омерзительная брехня! И она не умолкала. Ее возобновила зачем-то в марте 2003 года всероссийская сплетница «Экспресс-газета»: «Джо Маури, американский безработный, который хаял по нашему ТВ «капиталистический образ жизни», проходит курс лечения в психиатрической больнице».

Все пакости трех московских газет я, преодолев боязнь поранить психику Джо, показал-таки ему. И принялся обсуждать с ним – как опровергнуть клевету?

Обычный способ – подать в российский суд иск о защите чести и достоинства оскорбленного человека. Мне самому довелось так поступить уже дважды. Первый судебный процесс тянулся полтора года, второй – два года.

Тем временем мои влиятельные и богатые оскорбители воздействовали свыше на судей, давали взятки, нанимали продажных журналистов и заново порочили меня в нашей коррумпированной прессе.

Моих противников обслуживала орава дорогостоящих адвокатов, а у меня не хватало денег даже на единственного платного юриста. Им был бескорыстно один из моих друзей.

Судебная тяжба Джо единовременно с тремя китами нашей прессы была ему, конечно, не по карману. И ради этого было бессмысленно перемещаться из Нью-Йорка в Москву на несколько лет.

Вот почему я поначалу подбил Джо на правдивое жизнеописание всего, что случилось с ним в России. А, прочтя его рукопись, увидел, что она – отнюдь не газетное опровержение, а намного более значимая, целиком самостоятельная, романтическая история двух разлученных сердец.

Когда я переводил на русский язык рукописные странички американского друга, Джо и Альбина была опять молоды, влюблены, терзались от разлук, радовались их редким свиданиям, печалились и мечтали о счастье, но все это повторялось уже не наяву, а в моем мозгу.

Девушка из Подмосковья и янки из Нью-Йорка как бы срастались со мною все больше по мере того, как я переписывал по-русски исповедь Джо, редактировал ее, шлифовал литературно, заполнял сюжетные пробелы устными воспоминаниями Джо в ответ на мои расспросы. Никогда прежде я, политический хроникер, не писал о самом драгоценном в человеческой жизни.

Что же получилось? Что это?

Это повесть о несчастной любви.

* * *

Все, рассказанное выше, было первоначально напечатано малотиражно в литературном журнале «Наш современник» в октябре 2003 года.

Затем Джозефа и меня пригласили дважды выступить на телеканале «Россия». И, наконец, «Экспресс-газета» и «Московский комсомолец» поместили правдивые пространные репортажи о русской любви Джо Маури. Обе газеты, впрочем, не извинились за их прошлую клевету. Но таковы уж нравы нашей вроде бы свободной прессы.

Американский журнал «Тайм» поместил в июне 2004 года иллюстрированную статью под заголовком «Любовь во времена холодной войны». Это была корреспонденция из Москвы о Джо, Альбине, обо мне и моей жене Валентине. Последний абзац публикации «Тайм» гласил:

«Андронов и его жена Валентина, у которых Маури находил приют во время его визитов в Москву, превратились в его единственную семью. В 2003 году Валентина умерла. Теперь Маури и Андронов — двое старых усталых мужчин, потерявших все на свете за исключением необычной взаимосвязи между ними, возникшей в пору холодной войны».

КАК ПОГИБ СЫН СТАЛИНА

28 апреля 1970 года. Москва. Неподалеку от Кремля, в Большом Комсомольском переулке сижу в 35-ой квартире на четвертом этаже крупного жилого дома номер 5. В этой квартире на стене гостиной – фотопортрет молодого темноволосого человека в армейской гимнастерке. На ее воротнике – две нашивки с артиллеристскими значками и тремя кубиками старшего лейтенанта. Это покойный владелец квартиры Яков Джугашвили, старший сын Иосифа Сталина.

– Моя мама умерла три года назад, – говорит мне осиротевшая хозяйка квартиры, Галина Яковлевна Джугашвили, внучка Сталина.

Навестил я ее с целью выведать подробности смерти отца Галины в германском плену во время Отечественной войны. Об этом в конце 60-х годов появились очень разноречивые сенсационные статьи в западногерманских, английских, американских газетах и журналах. Я называю внучку Сталина просто Галиной или Галей, ибо тогда мы с ней были молоды и обходились в разговорах без наших отчеств.

– Но я знаю о гибели папы еще меньше, чем вы, – сказала мне Галина. – Мама верила, что папа каким-то чудом выжил у немцев и скрывается где-то после войны.

Таким образом мои надежды на нее не оправдались. Однако, вместе с тем, она рассказала о предвоенной жизни своего отца:

– Папу родила первая жена деда Екатерина Сванидзе в 1908 году. Дед познакомился с нею, еще учась в семинарии. Они поженились, венчались в церкви. А дальше дед мыкался по тюрьмам и ссылкам. Екатерина шила по заказам чужих людей, стирала им белье, всячески подрабатывала. Носила мужу тюремные передачи и литературу. В год рождения ее сына Якова она неосторожно напилась воды из какого-то ручья, заразилась брюшным тифом и вскоре скончалась. Грудного младенца взяла на воспитание сестра Екатерины.

Цитирую опять услышанное от Галины:

– В начале 20-х годов дед взял Якова из Грузии в Москву в 12-летнем возрасте. Мой отец окончил московскую школу и самостоятельно уехал в Ленинград, где поступил на завод простым рабочим. Потом трудился на ленинградской ТЭЦ. Дед не одобрял самовольное поведение сына. В итоге, по настоянию деда, папа вернулся в столицу и поступил в Московский институт железнодорожного транспорта. Потом дед, в предчувствии грядущей войны, вынудил старшего сына пойти на военную учебу в Артиллерийскую академию имени Дзержинского. Когда началась война с Германией, то на следующий день папа был отправлен на фронт командиром гаубичной батареи. Вот и все, что я знаю наверняка о нем…

Кроме того Галина сообщила мне:

– Дед очень любил свою первую жену Екатерину и перенес эту любовь на Якова. Но не баловал сына.

По-моему, это не совсем верно. И вызвано тем, что Галина, как я понял с ее слов, боготворила своего великого деда вопреки всем официальным осуждениям Сталина за его массовые репрессии. А старший сын злил генсека более всего потому, что говорил по-русски с очень сильным грузинским акцентом, напоминая тем самым окружающим нерусское происхождение властелина России.

Борис Бажанов, личный секретарь Сталина в 20-х годах, сбежав из СССР и осев во Франции, опубликовал в 1976 году свои мемуары «Побег из ночи», где, в частности, сказано:

«На кремлевской квартире Сталина жил и его старший сын от первого брака Яков. Почему-то его никогда не называли иначе, чем Яшка. Это был очень сдержанный, молчаливый и скрытный юноша. Вид у него был забитый, Он был всегда погружен в свои какие-то скрытые внутренние переживания. Сталин его не любил и всячески угнетал. Яков ненавидел отца скрытой и глубокой ненавистью. Он старался всегда остаться незамеченным и не играл до войны никакой роли. Мобилизованный и отправленный на фронт, он попал в плен к немцам. В конце немецкого отступления Яшка был гестаповцами расстрелян».

Воспоминания Бажанова о «ненависти» Якова к отцу противоречат автобиографической книге Светланы Аллилуевой, дочери Сталина, «Двадцать писем к другу». Сводная сестра Якова посвятила ему восемь печатных страниц. Воспроизвожу только краткую выдержку:

«Яков уважал отца и его мнения, и по его желанию стал военным. Но они были слишком разные люди, сойтись душевно им было невозможно. («Отец всегда говорит тезисами», – как-то раз сказал мне Яша.) Яшино спокойствие и мягкость раздражали отца… Яша ушел на фронт на следующий же день после начала войны. Их часть направили прямо туда, где царила полнейшая неразбериха – на запад Белоруссии… Может быть, слишком поздно, когда Яков уже погиб, отец почувствовал к нему какое-то тепло и осознал несправедливость своего отношения к нему. Яша перенес почти четыре года плена, который наверное был для него ужаснее, чем для кого-либо другого».

«Дело № Т-176»

Есть на свете места, где каждая пядь земли пропитана людской мученической кровью. Таким местом стал во время минувшей войны расположенный под Берлином тихий дачный поселок Заксенхаузен. Там фашисты, вырубив вековой сосновый бор, устроили огромный концлагерь. В нем было расстреляно, сожжено, замучено свыше ста тысяч человек. Теперь им поставлено общее надгробие – гранитный обелиск. У его подножия – каменные фигуры двух узников и советского солдата-освободителя. А позади них – руины крематория и лагерной тюрьмы, сторожевые вышки, бараки…

Заксенхаузен был Голгофой для лучших сынов народов Европы. Сюда были согнаны на муку и смерть антифашисты девятнадцати европейских наций. Здесь были расстреляны десять тысяч пленных красноармейцев. Через застенки Заксенхаузена прошел несгибаемый советский патриот генерал Карбышев, зверски замученный гитлеровцами перед самым концом войны в другом их концлагере. В феврале 1945 года в Заксенхаузене был казнен один из руководителей лагерного антифашистского Сопротивления генерал-майор Семен Акимович Ткаченко. И тут же, в Заксенхаузене, погиб 14 апреля 1943 года старший лейтенант Яков Иосифович Джугашвили.

Вот уже немало лет на ежегодном весеннем празднике Победы мы воздаем почести ее творцам – живым и почившим. Мы вновь называем их имена, вне зависимости от армейских рангов, общественного положения, происхождения, родства. Мы вспоминаем и тех, кто оказался по несчастью в фашистской неволе и достойно пронес через ад гитлеровских концлагерей высокое звание советского человека. В этом отношении история гибели старшего лейтенанта Джугашвили, при всем ее драматизме, немногим отличается от трагических судеб других таких же лейтенантов, рядовых солдат, старших и младших офицеров, сохранивших верность Отчизне даже под пытками или перед лицом смерти в нацистском плену. Память о них жива и далеко за пределами нашей страны. 25 октября 1974 года газета американских коммунистов «Дейли уорлд» отмечала: «Во время Второй мировой войны в числе многих советских военнопленных, которые предпочли погибнуть в Германии, лишь бы не предать свою социалистическую родину, был лейтенант Яков Джугашвили».

Никто не забыт и ничто не забыто, – эта заповедь и побудила меня взяться за перо, когда однажды, вдали от дома, я получил доступ к немецким трофейным документам из архива государственного департамента США, где долгие годы держались под секретом показания подручных Гиммлера о расправе над старшим лейтенантом Джугашвили.

В самом центре Вашингтона, на 13-м этаже украшенного помпезной колоннадой здания Национального архива США, расположен специальный «Отдел трофейных иностранных документов». Там мне вручили после переговоров с госдепартаментом США полученное из его архива «Дело №Т-176». Оно содержит около 40 машинописных страниц на немецком языке. Только два документа составлены по-английски. Первый гласит:

«Вашингтон. 30 июня 1945 года. 2 часа пополудни. Телеграмма от исполняющего обязанности государственного секретаря США Грю послу США в СССР Гарриману.

Сейчас в Германии объединенная группа экспертов государственного департамента и британского министерства иностранных дел изучает важные германские секретные документы о том, как был застрелен сын Сталина, пытавшийся якобы совершить побег из концлагеря. На сей счет обнаружено: письмо Гиммлера к Риббентропу в связи с данным происшествием, фотографии, несколько страниц документации. Британское министерство иностранных дел рекомендовало английскому и американскому правительствам передать оригиналы указанных документов Сталину, а для этого поручить английскому послу в СССР Кларку Керру информировать о найденных документах Молотова и попросить у Молотова совета, как наилучшим образом отдать документы Сталину. Кларк Керр мог бы заявить, что это совместная англо-американская находка, и презентовать ее от имени британского министерства и посольства США. Есть мнение однако, что передачу документов следует произвести от лица не нашего посольства, а госдепартамента. Суждение посольства о способе вручения документов Сталину было бы желательно знать в госдепартаменте. Вы можете обратиться к Молотову, если сочтете это полезным. Действуйте сообща с Кларком Керром при наличии у него аналогичных инструкций.

Грю».

Но через три недели американский посол в Москве получил новую директиву: ничего не сообщать руководящим советским деятелям о документах относительно гибели сына главы советского правительства. 5 июля 1945 года эти документы доставили из Франкфурта-на-Майне в Вашингтон и с той поры скрывали их ото всех в засекреченном архиве госдепартамента. Лишь спустя почти четверть века архивариусы госдепартамента, готовясь рассекретить за давностью лет документы военного времени, заготовили в 1968 году нечто вроде справки в оправдание сокрытия «Дела № Т-176». В справке говорится:

«После более тщательного изучения этого дела и его сути британское министерство иностранных дел предложило отвергнуть первоначальную идею передачи документов, которые по причине их неприятного содержания могли огорчить Сталина. Советским должностным лицам ничего не сообщили, и государственный департамент информировал посла Гарримана в телеграмме от 23 августа 1945 года, что достигнута договоренность не отдавать документы Сталину».

Неужто и впрямь боялись «огорчить»? Вот уж совсем не похоже на тех, кто после войны составили ближайшее окружение Черчилля и Трумэна. Вернее всего, их приближенные сами «огорчились», узнав из «Дела № Т-176», что застреленный гитлеровцами узник держался до конца как советский патриот. Кое-кого больше устраивали распущенные Геббельсом порочащие слухи о сыне главнокомандующего Красной Армией.

После войны на Западе было немало новых слухов и кривотолков, будто Яков Джугашвили, живой и невредимый, обнаружен то во Франции, то в Италии, то в Латинской Америке. Появились лжеочевидцы, самозванцы. Было написано множество статей и несколько книг с домыслами и выдумками самого невероятного фантастического пошиба. Истину прятали между тем под семью запорами, в засекреченных архивах. И приоткрыли их лишь благодаря таянию льдов «холодной войны» и началу советско-американской оттепели. Что ж, лучше поздно, чем никогда…

Возвращаясь к весне 1945 года, стоит, наверное, вспомнить, как маршал Советского Союза Г.К. Жуков, описывая в своих мемуарах встречу с И.В. Сталиным примерно за семь недель до Победы, рассказывал:

«Я спросил:

— Товарищ Сталин, давно хотел узнать о вашем сыне Якове. Нет ли сведений о его судьбе?

На этот вопрос он ответил не сразу. Пройдя добрую сотню шагов, сказал каким-то приглушенным голосом:

— Не выбраться Якову из плена. Расстреляют его душегубы. По наведенным справкам, держат они его изолированно от других военнопленных и агитируют за измену Родине.

Помолчав минуту, твердо добавил:

— Нет, Яков предпочтет любую смерть измене Родине.

Чувствовалось, что он глубоко переживает за сына. Сидя за столом, И.В. Сталин долго молчал, не притрагиваясь к еде. Потом, как бы продолжая свои размышления, с горечью произнес:

— Какая тяжелая война. Сколько она унесла жизней наших людей. Видимо, у нас мало останется семей, у которых не погибли близкие...»

Сталин не знал, что минуло уже два года, как его старшего сына нет в живых.

В советском Комитете ветеранов войны автору этих строк сообщили, что ныне покойный заместитель начальника Главного политического управления Советской Армии М.М. Пронин в свое время рассказывал, как вскоре после войны И.В. Сталин расспрашивал приехавшего в Москву из ГДР Вильгельма Пика о судьбе своего сына. По словам Пронина, Вильгельм Пик тогда сказал:

— К сожалению, установлено лишь то, что Яков погиб в одном из нацистских концлагерей.

Теперь известно название этого концлагеря — Заксенхаузен. Известны и другие лагеря, через которые прошел старший лейтенант Джугашвили. Известны обстоятельства его пленения и имена его убийц. Все это зафиксировано в «Деле № Т-176».

Первый допрос

«— Ваше имя?

— Яков.

— Вы являетесь родственником председателя Совета народных комиссаров?

— Да, старший сын Сталина...»

Так начинается стенограмма первого допроса военнопленного Якова Джугашвили. Допросом руководил майор германской армейской разведки Вальтер Холтерс, перевербованный после войны американскими спецслужбами. Согласно показаниям Холтерса, в допросе участвовали также еще четверо работников Абвера – кадровые офицеры и переводчики. Допрос состоялся 18 июля 1941 года, а пленник был захвачен 16 июля. Почему же его не допросили немедленно? Об этом в «Деле № Т-176» – ни слова. Лишь в наши дни сотрудники западногерманского журнала «Штерн», опросив всех причастных к делу Джугашвили уцелевших гитлеровцев, установили с их слов следующее:

«Пробыв первые дни в плену, Яков Джугашвили не был опознан, но потом какой-то военнопленный, полумертвый от голода, сообщил кому следовало имя старшего лейтенанта, чтобы получить от немецкой охраны иудину чечевичную похлебку – дополнительный паек».

Вечером 18 июля пленника спешно доставили самолетом в штаб фельдмаршала Клюге. В комнате, отведенной для допроса, разложили на большом столе кипы бумаг и карт, спрятав под ними микрофоны. Допрос тянулся долго: было задано почти полторы сотни вопросов. Сперва выпытывали обстоятельства пленения:

– Вы сдались добровольно или вас захватили силой?

– Нет, не добровольно, – был ответ, – меня взяли силой.

Последовал град дополнительных вопросов, на которые был дан такой ответ: «16 июля наша часть была окружена. Наши бойцы отбивались до последней возможности. Потом возле меня никого не осталось. Я решил найти командира дивизии, но командира не оказалось возле его автомобиля. Вокруг машины собрались красноармейцы из вспомогательных подразделений. Они все обратились ко мне: «Командир, веди нас в атаку!» Я повел их в атаку. Началась сильная бомбежка. Затем – ураганный артобстрел. И снова я очутился один. Я собирался пробиться все же к своим и уйти вместе с ними. Но тут ваши окружили меня вдруг со всех сторон…»

– Откровенно говоря, – сказал пленник, – я бы застрелился, если бы своевременно обнаружил, что полностью изолирован от своих.

– Считаете плен позором?

– Да, считаю позором…

– С отцом о чем-либо говорили в самый канун войны?

– Да, последний раз 22 июня.

– Что сказал ваш отец при расставании 22 июня?

– Сказал: «Иди и сражайся».

Яков Джугашвили ушел на фронт и попал прямо на передовую в грозные дни прорыва гитлеровцев под Витебском. Его имя могло бы обеспечить ему более безопасное место в армейских тылах, но он и раньше, в предвоенные годы, как вспоминают знавшие его люди, не искал себе привилегий и легких путей. Уважая отца, он старался обходиться без его опеки. Того же раздражало такое поведение и вызывало вспышки гнева, приводившие иногда к жестокому самоуправству. Только в конце войны отец Якова, узнав о стойкости сына в германском плену, стал впервые отзываться о нем с теплотой и озабоченностью.

«Мы – враги»

Продолжая знакомиться со стенограммой допроса из «Дела № Т-176», процитируем, насколько позволяет место, хотя бы узловые вопросы и данные на них ответы пленника:

«– Считаете ли вы, что ваши войска еще имеют шанс добиться поворота в этой войне?

– Считаю лично, что борьба будет продолжаться.

– А что произойдет, если мы вскоре займем Москву, обратим в бегство вашу власть и возьмем все под свое управление?

– Не могу себе такого представить.

– А ведь мы уже недалеко от Москвы, так почему же не представить, что мы ее захватим?

– Позвольте контрвопрос: а если вы сами будете окружены? Уже бывали случаи, что ваши части, прорвав наши боепорядки, были позже окружены и уничтожены…

– Для чего в Красной Армии комиссары? Каковы у них задачи?

– Обеспечивать боевой дух и политическое руководство.

– Известны ли случаи, чтобы комиссаров удаляли из воинских частей?

– Такие случаи не известны. Комиссар – правая рука командира в политических вопросах. Хорошего комиссара солдаты уважают и любят.

– Вы считаете, что новое устройство в Советской России более соответствует интересам рабочих и крестьян, чем в былые времена?

– Конечно. А вы спросите их, каково им было при царях. Спросите да послушайте, что они скажут…

— Но известно вам, что комиссары призывают гражданское население сжигать при отступлении все ценное и уничтожать все запасы, обрекая тем самым русских на лишения и беды?

— Во времена Наполеона мы действовали точно так же.

— Разве это правильно?

— По чести говоря, правильно.

— Почему?

— К чему играть в прятки: мы с вами враги! В борьбе с врагом надо использовать все возможности. Человек всегда должен сражаться, пока есть хоть малейшая возможность.

— Значит, правильно, если советские власти подожгут Москву и выведут из строя все промышленные предприятия? Разве это не самоуничтожение?

— А почему вы так уверены, что непременно захватите Москву?

— Да знаете ли вы, сколько самолетов уже потеряли русские?

— Нет, не знаю.

— Свыше семи тысяч!

— А сколько самолетов потеряли вы сами?

— Менее 200.

— Что-то не верится.

— Неужто вы не видели русских аэродромов с вашими разбитыми самолетами?

— Видел, у границы, но вовсе не здесь.

— Выходит, вы верите в остатки русской авиации?

— Честно говоря, верю, как вы выражаетесь, в эти «остатки» нашей авиации».

На этом стенограмма допроса Якова Джугашвили заканчивается. Как видно, офицерам Абвера надоело без толку пререкаться со строптивым пленником. Предложили ему написать семье – отказался. Предложили передать его послание по радио домой – тоже отказался. Намекнули насчет агитационной листовки с призывом к советским солдатам сдаваться в плен – издевательски высмеял подобные затеи. Ну и рассудили тогда, что он для Абвера – никчемная добыча.

Путь в концлагерь

Следующий допрос Якова Джугашвили состоялся в штаб-квартире группы войск фельдмаршала Бока. Допрашивал капитан Вильфред Штрик-Штрикфельт – профессиональный разведчик, говоривший по-русски без малейшего акцента. Всю жизнь Штрик-Штрикфельт занимался шпионажем против СССР. Во время войны его непосредственным начальником был Рейнгард Гелен, возглавлявший в германском генштабе разведотдел «Иностранные армии Востока», а после войны руководивший западногерманской секретной службой.

Летом 1941 года Гелен передал Штрик-Штрикфельту сверхсекретный приказ: выявить любыми способами среди пленных советских военачальников склонного к измене человека и от его имени развернуть пропаганду в концлагерях военнопленных за переход в услужение оккупантам. Это выполнили лишь год спустя – осенью 1942 года, когда к фашистам перебежал изменник генерал Власов, чьими действиями с первых дней его предательства и до самого конца войны руководил Штрик-Штрикфельт. Немец после войны и до смерти осенью 1977 года благополучно здравствовал в ФРГ и выпустил свои воспоминания, где рассказывает о попытке летом 1941 года завербовать Якова Джугашвили на вакантное в ту пору власовское амплуа.

« Мы предложили ему еду и спиртное, но он отказался», – вспоминает Штрик-Штрикфельт начало допроса Якова Джугашвили. Затем попытались воздействовать на пленника иным манером: стали убеждать его в духовно-расовом превосходстве германской культуры, на что он, однако, заметил, что Россия породила всемирно знаменитых писателей, композиторов, ученых, философов. По свидетельству Штрик-Штрикфельта, пленник сказал:

– Вы смотрите на нас, словно на примитивных островитян южных морей, но я, находясь в ваших руках, не обнаружил ни единой причины смотреть на вас снизу вверх.

Далее он назвал нападение Германии на СССР «откровенным бандитизмом» и добавил, что захватчики получат крепкий отпор. «Он не верил в конечную победу Германии», – пишет Штрик-Штрикфельт. И приводит финал допроса Якова Джугашвили:

– Итак, вы заявляете, что не верите в победу Германии?

– Нет, не верю, – сказал он.

Больше говорить было явно не о чем. Штрик-Штрикфельт обладал достаточной смекалкой и опытом по части изучения советского характера, чтобы признать в данном случае свое полное фиаско. Столь же безрезультатно он позднее допросил еще немало пленных, прежде чем заполучил наконец отщепенца Власова. Этот выродок был прямым антиподом советского офицера, о чем знают теперь повсюду не только из документов военной истории, но и благодаря таким популярным шедеврам мирового экрана, как киноэпопея «Освобождение», показанная во многих странах, в том числе в США. Эта картина, как известно, содержит яркий эпизод отказа Якова Джугашвили в Заксенхаузене примкнуть к предателям – власовцам. Только судя по последним сведениям, это произошло не в Заксенхаузене, а задолго до того на советско-германском фронте.

Впрочем, до исхода осени 1941 года нацисты еще старались извлечь политический капитал из захваченного ими необычного военнопленного. Его привезли в Берлин и передали в распоряжение департамента Геббельса. Надзор за пленным осуществляло гестапо. Упомянутый выше западногерманский журнал «Штерн» сообщает:

«Джугашвили перевезли из главной резиденции гестапо на Принц Альберт-штрассе в роскошный отель «Адлон», ибо Геббельс надеялся, что ему удастся трансформировать этого русского в антисоветского пропагандиста. Но Яков, убежденный коммунист, стоял на своем. И тогда его из геббельского гостя в дорогом отеле снова превратили в обычного военнопленного. Его отправили в офицерский концлагерь Любек, а затем в концлагерь Хаммельбург. Хотя он был ценным заложником, но весьма неудобным: он повсюду, где только мог, убеждал своих товарищей по плену, что Германия неизбежно проиграет войну и большевизм победит».

За колючей проволокой

Концлагерь Любек под Гамбургом был создан специально для особо «непокорных» военнопленных-офицеров. Здесь содержали пленных из разных стран, и потому концлагерь именовался «международным штрафным». В его узников охрана стреляла без всякого повода. Массовые убийства устраивались обычно по вечерам, когда охранники неожиданно давали свистком сигнал всем заключенным войти в бараки и тут же палили по тем, кто не успевал сделать это мгновенно. Старший лейтенант Джугашвили, попав позже в концлагерь Заксенхаузен, сказал там своему соседу по бараку, что в Любеке его «часто сажали в карцер». Говорил он также, что среди его товарищей по заключению в Любеке было много польских офицеров.

Будучи однажды по журналистским делам в Варшаве, я расспрашивал работников польского Комитета ветеранов войны и узников концлагерей, есть ли свидетели пребывания Якова Джугашвили в нацистском концлагере Любек. Сразу выяснить не удалось, но позже получил из Варшавы пакет с двумя номерами польского еженедельника «Политика», опубликовавшего письма нескольких читателей, попавших в годы войны за колючую проволоку в Любеке.

«Помню, – пишет Винсенты Ковалец, – как во время одной переклички в концлагерь доставили военнопленного в советском мундире. На следующий день немцы назвали его на перекличке пленным полковником Макаровым. Однако уже через пару дней мы знали, что это был на самом деле Яков Джугашвили, сын Сталина. Интерес к нему, понятно, был очень большой. Однако он находился под постоянным наблюдением двух стражников, и контакт с ним казался невозможным. Джугашвили был лишен права получать какие-либо посылки, письма, газеты и так далее. Все же спустя два дня мы узнали, что контакт с ним установлен. Стали собирать для него продукты, папиросы и передавать их разными способами. Атмосфера вокруг него среди военнопленных была доброжелательной. Когда через некоторое время немцы начали выводить Джугашвили из барака на прогулку в специально отведенный участок лагерной территории, то мы устроили ему очень теплый прием. В лагере среди военнопленных возник тайный кружок друзей Советского Союза. Этот кружок подпольно устраивал лекции об СССР. Уже после войны я узнал, что это был один из первых кружков такого рода в концлагерях. А ведь комендант Любека полковник Фрайхор фон Вайхмайстер расстреливал пленных просто для развлечения! Это было его хобби. Стреляли «ради спорта». Так убили немало узников… Я думаю, хотя прошло много лет, эту историю следует выяснить до конца».

Бывший узник Любека, поляк Ян Гаврон таким же образом описывает пребывание Якова Джугашвили в Любеке и добавляет, что увезли его оттуда неожиданно в неизвестном направлении. Теперь известно, куда отконвоировали – в офицерский концлагерь Хаммельбург.

Хаммельбург имел свое специфическое назначение: там пленных офицеров из Советского Союза, Франции, Югославии и других стран разделяли на готовых под страхом смерти сотрудничать с нацистами и тех, кто не соглашался стать предателями, а потому подлежал уничтожению. Стойких антифашистов вывозили для казни в другие концлагеря, в том числе в Заксенхаузен, Бухенвальд, Маутхаузен, но чаще всего в Дахау, где связанных и раздетых догола узников Хаммельбурга расстреливали палачи из особого отряда СС. Таким образом в 1941 году было убито 652 советских офицера, содержавшихся в Хаммельбурге. Среди тех, кто не пошел на сделку с врагом и все же чудом уцелел, оказались двое советских людей – капитан Александр Константинович Ужинский и штабист Петр Павлович Кашкаров. Оба живут в Москве. Вот что рассказывает Ужинский:

«Я уже находился в концлагере Хаммельбург, когда туда весной 1942 года доставили Якова Джугашвили. Я знал его в лицо, потому что до войны, обучаясь в Москве в военно-инженерной академии, ходил иногда на занятия физкультурой в спортивный зал академии имени Дзержинского и не раз встречал там Джугашвили. С той поры он сильно изменился: лицо исхудало, почернело, взгляд глубоко запавших глаз стал тяжел и мрачен. Он был одет в истрепанную шинель и рваную гимнастерку. На голове – советская армейская пилотка. На ногах – башмаки с деревянными подошвами.

Я видел, как к нему подошел один из лагерных охранников, держа в руках банку с краской и кисть, и начертил у него на груди буквы SU (Soviet Union). Такие метки всем нам ставили на груди и на спине. А Якову Иосифовичу – и на груди, и на спине, и на брюках, на рукавах, на плечах и даже на пилотке! Пока охранник махал кистью, Джугашвили обернулся к толпившимся рядом пленным офицерам и громко крикнул:

– Пусть малюет! Советский Союз – такая надпись делает мне честь. Я горжусь этим!

Эти слова произвели большое впечатление. Мужественное поведение Якова Иосифовича мы, конечно, горячо одобряли. А сохранить твердость духа было тогда непросто. Каждый день из наших бараков выносили товарищей, умерших от истощения и болезней. И каждое утро эсэсовцы, выстроив нас на плацу, выводили из рядов свои очередные жертвы. Их под дулами автоматов вывозили из лагеря. Мы знали, что этих офицеров никогда больше не увидим.

К Якову Иосифовичу приставили одного пленного, который стал изменником. Этот субъект следил за Джугашвили и приставал к нему с антисоветскими разговорами. Однажды Яков Иосифович вспылил: схватил табуретку и пригрозил провокатору:

– Если ты, сволочь, еще раз оскорбишь Родину, размозжу голову!

В те дни мы под руководством попавшего в Хаммельбург генерал-майора Тхора готовили массовый побег: наметили места для разрыва колючей проволоки, составили карту окрестностей и стали мастерить самодельные компасы. В это время я довольно близко сошелся с Яковом Иосифовичем. За ним неотступно следили, шансов на побег у него практически не было, но он знал о наших планах и обратился ко мне с просьбой:

— В случае удачи расскажи потом обо всем дома. Передай, что я ни за что не сдамся. Немцы меня и в Берлине уговаривали, и тут пытаются, но я не уступлю. Ненавижу их всем сердцем! Они обо мне клеветнические листовки разбрасывают, но я верю, что наши во всем разберутся. Фашисты мне смертью грозят. Сообщи, если погибну, всю правду обо мне...

Я посоветовался с друзьями и с их согласия привлек Якова Иосифовича к тайной выделке компасных стрелок из бритвенных лезвий, сделанных из магнитной стали. Но вскоре нас постигла неудача: фашисты каким-то образом пронюхали о подготовке побега и схватили многих близких к генералу Тхору офицеров. Самого генерала увезли из Хаммельбурга и уничтожили. Увезли в неизвестном направлении и Якова Джугашвили. О его участи до конца войны я ничего не знал...»

Совет генерала Карбышева

Товарищ Ужинского по заключению в Хаммельбурге Петр Павлович Кашкаров встретил войну на посту начальника штаба одной из наших частей, оборонявшей Брестскую крепость. Вместе с ее защитниками он принял неравный бой, потом оказался в заточении в Хаммельбурге, а позднее – в Нюрнберге. Стал другом и одним из помощников генерала Карбышева. После войны работал в Москве на крупной автобазе. Там я с ним увиделся и записал еще один рассказ бывшего узника Хаммельбурга:

«Когда в апреле 1942 года в Хаммельбург пришел эшелон с заключенными из концлагеря Замостье, я заметил среди них Дмитрия Михайловича Карбышева, с которым прежде был знаком. Я подошел к нему, поздоровался, и он мне сказал, что по пути в Хаммельбург из их эшелона совершил побег генерал Огурцов. Это было радостное известие: мы в Хаммельбурге мечтали о том же. Во главе нашего подполья стояли генералы Тхор, Никитин и Алавердов. Карбышев сразу же к ним присоединился. Вам, наверное, теперь известны его слова: «Плен – страшная трагедия воина, но пока идет война, мы должны бороться здесь, за колючей проволокой!»

Несколько дней спустя после прибытия Карбышева я его спросил:

— Товарищи интересуются, можно ли доверять находящемуся тут Якову Джугашвили?

Карбышев ответил:

— К Якову Иосифовичу следует относиться как к непоколебимому советскому патриоту. Это очень честный и скромный товарищ. Он немногословен и держится особняком, потому что за ним постоянно следят. Он опасается подвести тех, кто с ним будет общаться.

Я догадался, что Карбышев и другие руководители подполья тайно поддерживают контакт с Джугашвили. Затем я сам с ним познакомился и убедился, что это действительно настоящий советский офицер. К его характеристике, данной Карбышевым, хочу добавить, что Яков Джугашвили был исключительно отзывчивым человеком: он, страдая от недоедания, часто делился хлебом с больным и ослабевшим товарищем.

Он и Карбышев еще оставались в Хаммельбурге, когда меня и часть узников отправили в Нюрнберг. Через некоторое время туда же доставили Карбышева. Когда я спросил его о Джугашвили, он сказал:

— Якова Иосифовича увезли из концлагеря неизвестно куда. Гитлеровцы на него злы невероятно...»

Один из охранников Хаммельбурга эсэсовец Йозеф Кауфман, избежав после войны наказания в ФРГ, осмелел до такой степени, что в 1967 году на страницах западногерманской газеты «Бильд ам зонтаг» жаловался, как ему было трудно усмирять поднадзорных заключенных:

— Сын Сталина выступал в защиту своей страны всякий раз, как представлялся случай. Он был твердо убежден, что русские победят в войне.

В последние дни пребывания старшего лейтенанта Джугашвили в Хаммельбурге туда прибыли из Берлина несколько изменивших своему народу грузинских буржуазных националистов, которые принялись уговаривать Якова Джугашвили встать на их сторону. В ответ он предложил отщепенцам выйти вместе с ним на лагерный плац. Наблюдавший эту сцену вместе с другими военнопленными ныне покойный полковник Фесенко рассказал на встрече бывших узников Хаммельбурга, что Джугашвили тогда во всеуслышание заявил предателям:

– Возвращайтесь туда, откуда вас прислали, и скажите там, что, если даже останется в живых всего один боец Красной Армии на последнем клочке нашей земли, то и в таком случае он будет биться с вашими хозяевами до самого конца!

На это один из изменников выкрикнул, что Якову недолго осталось жить. Но и без того Яков Джугашвили в тот день наверняка явственно предвидел неизбежную близость своего конца.

«При попытке к бегству»

Когда старший лейтенант Джугашвили попал в Заксенхаузен, там день и ночь безостановочно работал нацистский конвейер смерти. Распространяя гарь и зловоние, дымила труба крематория. Из радиорепродукторов гремела музыка – обязательный аккомпанемент массовых расстрелов заключенных. Полным ходом работала газовая камера. Во внутренней тюрьме «Целленбау» узников пытали, переламывая им кости и добивая полуживых людей. Туда, в «Целленбау», и поместили поначалу Якова Джугашвили. В те дни его судьбой распоряжался начальник этой тюрьмы эсэсовец Курт Эккариус. Он после войны предстал перед трибуналом в Берлине и дал такие показания, от которых и сегодня леденеет кровь. Вот небольшая выдержка из протокола судебного заседания:

«Вопрос прокурора: Какие наказания существовали в вашей карцерной тюрьме?

Ответ Эккариуса: Порка на козле, подвешивание на столбе, различные виды арестов, казнь.

Прокурор: Что представляло собой подвешивание на столбе?

Эккариус: Людям связывали руки за спиной и после этого подвешивали с вывернутыми руками на столбе, который они сами заранее должны были врыть в землю.

Прокурор: Сколько времени заключенные висели в таком положении?

Эккариус: Обычно полчаса. А для того, чтобы добиться показаний, до двух часов.

Прокурор: Применялись ли еще какие-либо истязания?

Эккариус: Заключенных били и пинали ногами, обливали ледяной водой, гоняли зимой босыми вокруг карцера, и так далее.

Прокурор: Верно ли, что условия в карцерной тюрьме были настолько бесчеловечны, что заключенные лишали себя жизни, ибо не могли вынести этих пыток?

Эккариус: Так точно. 20 или 25 человек покончили жизнь самоубийством.

Председатель суда: Вы отправляли заключенных на уничтожение в крематорий. Это правильно?

Эккариус: Так точно. Я постоянно отправлял заключенных в крематорий…»

Палач остался на свободе, хотя прокуратура в Мюнхене начала против Эккариуса следствие по обвинению его в причастности к убийству Якова Джугашвили. Обвинение базировалось на показаниях бывшего помощника Эккариуса – унтершарфюрера СС Вальтера Услеппа, живущего тоже в ФРГ. Он заявил, спасая собственную шкуру, что его начальник вроде бы участвовал в расстреле Джугашвили, которого незадолго до казни зверски избили за то, что он крикнул во всеуслышание: «Гитлеру скоро придет конец!»

Мюнхенский прокурор Карл Вайс в ходе следствия публично оповестил: «В официальных актах концлагеря несколько раз упоминается, что при расстрелах русских был ликвидирован также Яков Джугашвили».

Однако прямых документальных улик против Эккариуса так и не обнаружили, и в итоге судебное дело замяли.

Живущий в Москве бывший узник Заксенхаузена № 73025 и активный участник лагерного подпольного Сопротивления Марк Григорьевич Телевич говорил мне:

– Штаб нашего подпольного Сопротивления ничего не знал в то время о судьбе Якова Джугашвили, хотя мы через своих людей были осведомлены буквально обо всем происходящем в бараках, в тюрьме, в местах казней…

Таким образом, единственные свидетельства о последних днях старшего лейтенанта Джугашвили – это трофейные гитлеровские документы.

Из находящегося в «Деле № Т-176» рапорта СС о смерти Якова Джугашвили явствует, что он был помещен в специальный барак на территории особого лагерного блока «А», полностью изолированного от остальной части Заксенхаузена. Охрану составлял особый эсэсовский караул. Блок «А» был оцеплен колючей проволокой под электрическим током напряжением 550 вольт. В одном бараке вместе с Джугашвили содержался еще один советский военнопленный по имени Василий Кокорин, называвший себя племянником Молотова. Кроме него в особом блоке «А» помещались четверо пленных англичан, из которых двоих – Мэрфи и О`Брайена – уже нет в живых, а двое других – Кушинг и Уолш – здравствуют в Англии. Показания, включенные в «Дело № Т-176», дают основание предполагать, что Кушинг и Уолш в 1943 году сыграли в Заксенхаузене весьма подлую роль…

Томас Кушинг и Эндрю Уолш попали в германский плен во время сражения под Кале в 1940 году и сразу же заявили о своей готовности сотрудничать с фашистами. Их передали германской разведке, поселили в Берлине на Гогенштрауфен-штрассе, а затем стали готовить для выполнения секретных диверсионных заданий. Кушинга тренировали с целью переброски в Латинскую Америку, где он с группой таких же лазутчиков должен был взорвать шлюзовые сооружения на Панамском канале. Уолша планировали сбросить с парашютом в Шотландии для устройства взрывов на оборонно-промышленных предприятиях. Как заявляет Уолш, его былой соратник Кушинг имел также задание от гестапо шпионить за тремя остальными англичанами и усердно этим занимался. Все четверо, однако, так и не успели стать диверсантами, ибо их неожиданно направили в Заксенхаузен и разместили в том же блоке, где был заточен Яков Джугашвили.

Это странное соседство началось с того, что англичане попытались заставить Джугашвили и его соотечественника в качестве слуг убирать их койки, а когда в ответ последовал решительный отказ, британцы принялись всячески оскорблять их. Документы СС констатируют, что англичане старались лишить советских пленников пищи и обращались к ним не иначе как «большевистская свинья» (излюбленное выражение шефа гестапо Мюллера и его подручных). Однажды О`Брайен даже ударил Кокорина по лицу. Теперь, много лет спустя, Кушинг в оправдание всех этих подлостей дает столь же гнусное объяснение: «Мне и моим приятелям действовали на нервы бесконечные пропагандистские речи Джугашвили». На деле же Кушинг и его компания имели, очевидно, поручение спровоцировать столкновение с Яковом Джугашвили, во время которого произошел бы «несчастный случай» со смертельным исходом. Подобное натравливание узников из разных стран друг на друга неоднократно практиковалось в Заксенхаузене.

Рапорт СС о смерти Якова Джугашвили сообщает, что незадолго до того этот заключенный заявил:

– Скоро германские захватчики будут переодеты в наши лохмотья, и каждый из них, способный работать, поедет в Россию восстанавливать камень за камнем все то, что они разрушили…

После этого заявления главари СС, видимо, решили более не мешкая разделаться с их неуступчивой жертвой. 14 апреля 1943 года, как гласит рапорт СС, Яков Джугашвили будто бы взбунтовался, отказался вечером зайти в барак, двинулся якобы прямо через «полосу смерти» перед проволочным заграждением, а на окрик охранника ответил: «Стреляйте!». Затем он вроде бы сам бросился на проволоку с электрическим током, после чего эсэсовец-охранник Конрад Харвиш в присутствии начальника караула эсэсовца Карла Юнглинга застрелил Якова Джугашвили.

22 апреля 1943 года Гиммлер направил в нацистское министерство иностранных дел на имя Риббентропа под грифом «Совершенно секретно» рапорт СС и личную депешу о гибели Якова Джугашвили.

В телеграмме сказано:

« Дорогой Риббентроп!
Посылаю вам рапорт об обстоятельствах, при которых военнопленный Яков Джугашвили, сын Сталина, был застрелен при попытке к бегству из особого блока «А» в Заксенхаузене близ Ораниенбурга.

Хайль Гитлер!
Ваш Генрих Гиммлер».

Замаскированное убийство

Факт гибели старшего лейтенанта Джугашвили был зафиксирован, помимо рапорта СС, медицинским заключением о его смерти и серией фотоснимков тела убитого на проволочном заграждении. Ныне этот же факт подтверждают Кушинг и Уолш, а также живущие преспокойно в ФРГ Юнглинг и Харфиш, который заявил при встрече с журналистами: «Это точно, что я в него выстрелил».

Но было ли это убийство «при попытке к бегству» или пленника хладнокровно расстреляли, а затем, бросив его тело на проволоку, инсценировали мнимое бегство? Ведь Яков Джугашвили, несомненно, мечтавший об освобождении, не мог вместе с тем не знать, что бегство из проволочной западни под током 550 вольт на глазах вооруженной охраны просто бессмысленно!

Трафаретная эсэсовская формулировка «убит при попытке к бегству» была обычным прикрытием расправ над противниками нацизма. В Заксенхаузене таким образом убили множество людей, о чем засвидетельствовал после войны в своих мемуарах бывший узник этого концлагеря, ветеран немецкого коммунистического движения Зепп Хаан. В мае 1943 года в Заксенхаузене эсэсовцы расстреляли 70 пленных американских и английских летчиков, а потом было объявлено, что эти пилоты «убиты при попытке к бегству». Один из эсэсовских палачей в Заксенхаузене, некий Вильгельм Шуберт, представ перед судом в 1947 году, открыто заявил: «Я убил собственноручно 636 русских военнопленных», – и добавил:

– Однажды я подвел нескольких заключенных к цепи охранных постов, сорвал шапку с головы одного заключенного, бросил ее за линию охранных постов и приказал ему принести шапку обратно. Таким образом я расстрелял четырех заключенных под видом пресечения попытки к бегству…

В рапорте СС о гибели Якова Джугашвили и в показаниях его убийц-эсэсовцев говорится, что он вроде бы сперва упал на проволоку с электротоком и только после этого был застрелен. Однако ни в рапорте, ни в эсэсовских показаниях, ни в медицинском заключении о смерти нет ни слова о следах ожогов на теле убитого или о последствиях электрошока, хотя по проволоке шел ток высокого напряжения. Заключение о смерти, составленное батальонным медиком дивизии «Мертвая голова», сообщает:

«14 апреля 1943 года, когда я осмотрел данного пленного, я констатировал смерть от выстрела в голову. Входное пулевое отверстие расположено примерно в 4 сантиметрах ниже уха сразу же под скуловой дугой. Смерть должна была наступить немедленно после этого выстрела. Очевидная причина смерти: разрушение нижней части мозга».

По расположению пулевой раны нетрудно догадаться, что в Якова Джугашвили выстрелили сзади или сбоку. Как утверждает ныне Юнглинг, старший лейтенант Джугашвили погиб 14 апреля около девяти часов вечера. Рапорт СС уточняет: «позднее 8 часов 30 минут вечера, после наступления темноты». Между тем Харфиш уверяет, что метко выстрелил, несмотря на темноту, только один раз. Но зато в упор и не «при попытке к бегству», а по секретному приказу своего начальства.

Исполнители казни – эсэсовцы из дивизии «Мертвая голова» – получили приказ молчать об этом убийстве под угрозой расстрела. Как видно, руководители палачей в ту пору, после Сталинградской битвы, уже стремились на всякий случай скрыть хотя бы некоторые свои злодеяния.

Возникает вопрос: зачем Гиммлеру понадобилось не только информировать Риббентропа о гибели Якова Джугашвили «при попытке к бегству», но и сопроводить свое явно фальшивое сообщение соответствующими документами СС и фотоснимками? Ведь Гиммлер в годы войны был неизмеримо сильнее нацистского министра иностранных дел, и отчитываться перед Риббентропом в грязных делах СС ему совсем не требовалось. И еще одна деталь: ведомство Гиммлера в конце войны позаботилось уничтожить почти всю свою компрометирующую документацию, спалив ее, утопив в озерах или спрятав в шахтах, а между тем архивы гитлеровского МИДа едва ли не целиком сохранились и стали трофеем военных противников фашистской Германии. Похоже, что Гиммлер, испытывая после Сталинградской битвы недобрые предчувствия, с дальним прицелом фальсифицировал убийство в Заксенхаузене 14 апреля 1943 года.

Окончательно прояснить обстоятельства этого убийства смог бы, пожалуй, только один человек, но он предпочел отмолчаться. Это ушедший на пенсию бывший криминаль-директор западногерманского федерального управления сыскной полиции Курт Аменд. В годы войны он был гауптштурмфюрером СС. Это он составил рапорт СС о гибели Якова Джугашвили. Это ему поручил Гиммлер курировать все вопросы, связанные с заточением старшего лейтенанта Джугашвили. Это ему подчинялись убийцы из специального блока «А». Но они безбедно живут без каких-либо угрызений совести, словно люди забыли о кровавом кошмаре Заксенхаузена, о тысячах замученных там антифашистов.

Однако память об этом столь же неистребима, как тверда воля европейских народов не допустить повторения трагедий минувшей войны. И ныне на развалинах концлагерных строений Заксенхаузена усилиями девятнадцати европейских стран, чьи сыны томились здесь и гибли, построен Музей европейского Сопротивления фашизму. Он стоит на прахе и пепле тысяч узников, среди которых был и старший лейтенант Джугашвили, чьи останки сожгли тут, в лагерном крематории, в апреле 1943 года.

Москва – Варшава – Вашингтон

Полузапретная тема

Текст, который вы только что прочитали, был написан мною в конце 1975 года, исключая более позднее вступление.

Мой тогдашний начальник – главный редактор журнала «Новое время» Павел Наумов – послал документальный очерк о сыне Сталина для перестраховки на «консультацию» в отдел пропаганды Центрального Комитета КПСС. А там тоже ради перестраховки размножили очерк и отправили каждому члену Политбюро ЦК на индивидуальный опрос. Итог высказал мне Наумов:

– Нет претензий к тексту вашего очерка, но его публикация сочтена несвоевременной.

Два года спустя я познакомился случайно с Викторией Сирадзе, секретарем ЦК компартии Грузии. Ей пересказал злоключения моего очерка о Якове Джугашвили, и она попросила отдать ей текст запрещенного очерка. Потом Сирадзе и ее коллеги из грузинского ЦК инициировали переговоры с московскими цекистами. Подробности этих переговоров мне неведомы.

Зато знаю результат: в апреле 1978 года, накануне очередного празднования Дня Победы, отвергнутый в Москве мой очерк опубликовал тбилисский маленький журнальчик «Литературная Грузия».

Напечатали мое творение по-русски количеством в семь тысяч экземпляров. По тем временам это был мизерный тираж для ведущих литжурналов. Чтиво о старшем сыне Сталина предназначалось лишь грузинам.

Минуло много лет, и в 2009 году в Москве директор студии документального кино Александр Колесник обратился ко мне с предложением придать огласке на телевидении имеющиеся у меня фотокопии трофейных фашистских документов о гибели военнопленного сына Сталина. Я поддержал замысел Колесника, а он закончил работу над своим фильмом в начале 2010 года и передал свое детище московскому телеканалу ТВ-Центр.

Но руководство ТВ-Центра в апреле 2010 года отвергло фильм Колесника «Неизвестная судьба Якова Джугашвили». И тогда Колесник переадресовал фильм телеканалу «Россия». Однако и предводители теле-«России» отказались продемонстрировать документальное кино о сталинском сыне.

В конце концов упрямому Колеснику удалось кое-как пристроить неприемлемый фильм на низкорейтинговом телеканале министерства обороны «Звезда». Фильм прокрутили в субботний день в три часа пополудни, когда большинство телезрителей либо обедает, либо возится на огородных дачных участках. Никто из моих знакомых не видел полузапретной киноленты. Ее бедствия были вызваны тем, что она воссоздала положительный образ сына Сталина.

Телеканал ТВ-Центр, отторгнув фильм Колесника, показал в апреле 2010 года двухнедельный сериал «Концлагеря. Дорога в ад». В том сериале речь шла в основном об убийстве евреев в гитлеровских концлагерях. Почти десятичасовой сериал уделил лишь пять минут скупому рассказу о гибели Якова Джугашвили в Заксенхаузене.

Телеведущий концлагерного сериала – какой-то юнец со стрижкой школьного подростка – сначала упрекнул Сталина за то, что тот якобы отказался выменять пойманного германцами сына на пленного Красной Армией немецкого генерала. А затем телеведущий заявил, что Яков Джугашвили в Заксенхаузене будто бы опасался своего освобождения, так как боялся отцовской кары за плен, и посему решился на самоубийство.

Никаких доказательств антисталинской версии ТВ-Центр не предъявил. Ведь отказ Сталина выменять сына у немцев – всего-навсего ничем не подтвержденная легенда. Да и как бы выглядел главком нашей армии в глазах соотечественников, когда выручил бы из плена одного своего сынка, оставив в неволе у интервентов три миллиона советских военнопленных?

У меня сложилось такое впечатление, что наши власти и послушная им пресса весьма испуганы даже призраком Сталина, который бродит ныне по беспокойной России.

Тремя годами ранее многострадального фильма Колесника дочь Якова Джугашвили удвоила свою фамилию, назвав себя Джугашвили-Сталина, и выпустила под новой фамилией книгу «Тайна семьи вождя». Одна из глав книги имела изумивший меня заголовок – «Мой отец не был в плену». Под этим заголовком я прочел такие строки:

«Сын Сталина старший лейтенант Красной Армии Яков Джугашвили никогда не был в немецком плену. Есть все основания полагать, что мой отец погиб в неравном бою в середине июля 1941 года. Берлин выдавал за Якова Джугашвили другого человека: агента-двойника из Абвера».

В доказательство сему Галина Джугашвили-Сталина не излагает никаких документов или показаний очевидцев. Между тем она цитирует мой грузинский очерк и два раза упоминает меня поименно. Но делает это странно. Вот пример:

«Появилась большая статья Ионы Андронова, посвященная моему отцу, – подробный рассказ о его пребывании в лагере Заксенхаузен. Полная сочувствия и восхищения стойкостью пленника, статья все же неприятно удивила меня описанием ссор, чуть ли не драк «сына Сталина» с соседями по бараку, английскими офицерами, из-за таких бытовых мелочей, как пара лишних сигарет».

Но ничего подобного «дракам» сына Сталина с его сокамерниками из-за «пары лишних сигарет» я не описывал. Да такого просто не было. Зачем же об этом нафантазировала Галина?

А вот еще одна ее выдумка обо мне:

«Иона Андронов, исходя из своих материалов, делает вывод, что Яков Джугашвили был застрелен часовым при попытке к бегству».

На деле все иначе. «Застрелен при попытке к бегству» – это разоблаченная мною лживая формулировка Гиммлера для камуфляжа санкционированного им расстрела Якова Джугашвили. Почему же Галина внесла загадочную путаницу в свою книгу?

Объясняется это, как мне кажется, тем, что во время ее книжного отрицания плена отца она переживала мучительную агонию: медленно умирала от смертельного ракового заболевания. В таком состоянии обманчиво мерещится что угодно.

Перед кончиной она с явным умыслом удвоила свою фамилию в честь деда. Его и ранее она высоко чтила. Теперь же переняла, очевидно, и политические взгляды Сталина. А он считал попадание в плен советских офицеров непростительным предательством. За это Сталин приказал осенью 1941 года арестовать и посадить в тюрьму жену своего сына Юлию, мать Галины. Юлия провела полтора года в одиночной камере печально знаменитой Владимирской тюрьмы. Ее освободили весной 1943 года, когда Сталин получил агентурную информацию советской разведки о том, что его сын ведет себя отважно и патриотично в германском плену.

Яков Джугашвили, как следует из его немецких допросов, также считал свой плен «позором». Это черное пятно и попыталась смыть Галина Джугашвили-Сталина в ее предсмертной книге.

Было бы непорядочно умолчать об аргументах Галины о том, что ее отец не был в плену. Во-первых, она сочла лгуном капитана Александра Ужинского, который говорил ей, как он подружился с Яковом Джугашвили в концлагере Хаммельбург.

С Ужинским я тоже встречался у него дома и долго беседовал в 1970 году. Он не вызвал у меня подозрений в его неискренности. Об общении с Яковом поведал мне также другой узник Хаммельбурга – советский офицер Петр Кашкаров. Тем не менее, воспоминания обоих не имеют никакого отношения к убийству сына Сталина в концлагере Заксенхаузен, так как тех двух военнопленных там не было!

Во-вторых, Галина оспорила протоколы допросов отца в плену:

«Изумление вызывает ответ «сына Сталина» на простой вопрос, – и это зафиксировано в очередном протоколе, – где он родился. Он называет город Баку! Но в паспорте отца, который я храню, место его рождения – село Бадзи, Грузия. Перепутать поселок в Рачии, низменной области Грузии, со столицей Азербайджана? Невольно приходит мысль о небрежно, второпях составленной «легенде».

Между тем в российском министерстве обороны хранится личное дело старшего лейтенанта Якова Джугашвили с заполненной им анкетой 19 мая 1941 года. В той анкете в графе «место рождения» указано «гор. Баку». К анкете приложена рукописная автобиография Якова Иосифовича, в которой им записано: «Родился в 1908 году в марте месяце в гор. Баку в семье профессионального революционера».

Тот «профессиональный революционер» занимался тогда в Баку подпольной бунтарской деятельностью, за что угодил в бакинскую тюрьму. Его навещала беременная жена, разродившаяся в Баку их ребенком.

Третий аргумент Галины состоит в том, что установлена фальшь письма Якова из плена к отцу и подделка фотографий сына Сталина в приятельской обстановке с немецкими офицерами. Такое жульничество содержали листовки, которые разбрасывали в 1941 году германские самолеты над Москвой и прочими местами. Листовки призывали сдаваться в плен вермахту, как это якобы сделал сын главы СССР.

Листовочное письмо Якова Джугашвили и его снимки запанибрата с гитлеровцами действительно были фальшивыми. Но разве это опровергает трофейное досье Гиммлера об уничтожении сына Сталина в концлагере Заксенхаузен?

И наконец заключительный довод Галины:

«Сын Сталина был артиллерийским офицером и честно разделил судьбу своих однополчан. Узнав о гибели сына Сталина, – в первый год войны немцы внимательно просматривали документы, найденные у погибших в бою советских офицеров, – немецкие спецслужбы и решаются на фальсификации. Возможно, роль лейтенанта Джугашвили согласился играть его земляк-сослуживец, попавший в плен. Возможно, немцы для участия в спектакле нашли «своего пленника». Легенда составлялась спонтанно, на основе скудной информации. Отсюда и неловкость двойника, его промахи, оговорки. Быть может, для маскировки спецоперации были приняты и другие меры».

Предположение о двойнике сына Сталина у фашистских спецслужб, по моему суждению, совершенно нелогично. Если бы те службы создали такого двойника, то с какой стати они мытарили его по концлагерям и затем прикончили? Их двойник должен бы был сразу сотрудничать с ними и рьяно выполнять их приказы, как это сделал впоследствии изменник генерал Власов. Да не было у гитлеровцев никакого двойника Якова Джугашвили.

Газета «Комсомольская правда» напечатала 7 июня 2007 года немного сокращённую книжную публикацию Галины Джугашвили-Сталиной «Мой отец не был в плену». Рядом газета поместила заявление Федеральной службы безопасности России под заголовком «Яков вёл себя в фашистских лагерях достойно». В заявлении ФСБ говорилось:

«В архивах ФСБ имеется достаточно документальных подтверждений того, что сын Иосифа Сталина Яков Джугашвили действительно находился в немецком плену. Все, кто был в фашистском плену вместе с Яковом, найдены и допрошены после войны. Они показали, что Джугашвили вёл себя достойно».

Ниже перечислялись факты о пребывании Якова в плену, взятые из моего тбилисского документального очерка. Фигурировало не совсем грамотно и моё имя – «исследователь Ион Андронов».

На этом пора ставить точку, добавив финальный абзац о том, что Галина Яковлевна Джугашвили-Сталина умерла 27 августа 2007 года. Она похоронена в Москве на престижном Новодевичьем кладбище. Куда подевали эсэсовцы крематорный прах её отца – до сих пор неизвестно.

ЭХО АФГАНА

Он позвонил мне домой по телефону с Ярославского вокзала. Сказал, что в Москве – проездом, пробудет тут сегодня только до вечера и хотел бы повидаться со мною. Я ответил:

– Ладно, Валера, приезжай. У тебя сохранился мой домашний адрес?

– Да, Иона Ионович, – подтвердил он. – Буду у вас через час.

Он не знал, что я уступил его просьбе вопреки своему крайне скверному настроению и нежеланию общаться с кем-либо, разговаривать, объяснять мое подавленное состояние.

В тот день, 4 февраля 1994 года, истекло ровно четыре месяца с прошлогоднего московского кровопролития, когда я, уцелев, стал, однако, безработным и утратил возможность прокормить себя прежним многолетним ремеслом журналиста-международника.

В моей трудовой книжке последняя запись гласила о том, что я уволен с занимаемой должности по чрезвычайному указу президента России Б.Н. Ельцина и лишен впредь каких-либо «социальных гарантий». Вскоре затем Ельцин издал мемуарную книжку, где причислил меня к заговорщикам против него и обозвал «фашистом». С таким черным клеймом я мог рассчитывать отныне лишь на случайную работенку вне моей профессии.

Те времена апофеоза кремлевского царства Бориса Ельцина сейчас уже полузабыты благодаря симулянтскому беспамятству российской прессы. Она ведь обесчестила себя осенью 1993 года, когда аплодировала приказу Ельцина расстрелять из танков наш парламент в столичном «Белом доме». А я был среди его защитников, являясь депутатом парламента и сторонником импичмента президента-самодура. За что и поплатился. Но повторись все это снова, поступил бы так же.

К тем драматическим событиям не имел, впрочем, никакого отношения позвонивший мне с Ярославского вокзала деревенский парень по имени Валера. Он был втрое моложе меня и жил на Украине в селе Печановка. Однако за тысячи километров оттуда я впервые повстречался с ним в пакистанском городе Пешаваре, который существует уже 25 столетий.

Древний Пешавар сыграл, пожалуй, магическую роль в моей судьбе. Там непредугаданно я очутился как бы на трамплине, откуда меня, газетчика, закинуло, спустя полгода, в депутатское кресло Верховного Совета России.

Чудотворный для меня Пешавар выглядит и внешне до сих пор словно сказочный город из «Тысячи и одной ночи» легендарной Шахерезады. Не подражая ей, я берусь все же рассказать не менее, быть может, увлекательную быль о Пешаваре и его обитателях, включая украинца Валеру Прокопчука.

Итак, добро пожаловать в старинный Пешавар, срисованный как будто с яркокрасочных картин русского живописца Индостана и неустанного путешественника Василия Верещагина. Его давнишняя экзотика – городской пейзаж сегодняшнего Пешавара: крепостные замки, дворцы махараджей, мраморные мечети и минареты, пальмы, верблюды, хаос восточных базаров, людской муравейник в лабиринтах узких улиц под палящим солнцем.

Если бы вдруг ожил Верещагин, то ему пришлось бы в Пешаваре все-таки осовременить частично зарисовки уличной толпы. Ибо там повсюду многие горожане-бородачи в тюрбанах и долгополых рубахах опоясаны нынче ремнями с пистолетами или вооружены автоматами Калашникова. А у некоторых грудь перехлестнута крестообразно кожаными лентами патронташей.

Пешавар был всегда и остался по сей день прифронтовым городом. От него до беспокойной границы с Афганистаном всего-навсего 50 километров. И везде вдоль той границы продолжается у афганцев многолетняя гражданская война. При сем граница не имеет сплошной охраны с обеих сторон

Бесконтрольный переход границы затруднен лишь скалистой грядой невысоких Сулеймановых гор. Их рассекает извилистое ущелье – Хайберский перевал. Сквозь него издавна прорывались к Пешавару для захвата Индостана орды завоевателей всех эпох – арии, античные греки, гунны, монголы, скифы, арабы, персы, тюрки.

Наибольших успехов достигли полчища трех интервентов. Боевые фаланги Александра Македонского покорили Пешавар в четвертом веке до нашей эры. Спустя почти два тысячелетия конница ферганского падишаха Бабура и примкнувшие к нему афганцы ворвались в Пешавар, оккупировали потом всю Индию и создали в ней свою Империю Великих Моголов. Ее разгромила через триста лет другая империя – Великобритания. Она, овладев Пешаваром, трижды вторгалась в соседний Афганистан.

А в 1981 году я сам, военный корреспондент московской газеты, был прикомандирован к войскам Советской Армии, чьи боевые позиции на афганской земле находились в 70 километрах от Пешавара.

Однако не только бесконечные войны ознаменовали историю города в южном жерле Хайберского перевала. По нему пролег еще в средневековье мирный «шелковый путь» караванной торговли между Европой, Индией и Китаем.

Товарно-транзитный Пешавар славился богатым изобилием своих интернациональных базаров. Сюда стекались разнородные дельцы из дальних стран, исламисты и христиане, буддисты и сикхи, конфуцианцы и индусы. Их религии, национальные культуры, бытовые традиции и пристрастия образовали в Пешаваре бесподобный коктейль из перемешанных цивилизаций. Это видно теперь прежде всего в архитектуре Пешавара.

Трехэтажные каменные дома окольцованы галереями балконов с перилами французского стиля из низких узорчатых решеток. Продолговатые столбики окон заострены сверху и обрамлены выпуклой лепкой на манер венецианских палаццо. Фасады украшены античными колоннами эллинов и настенными скульптурами миниатюрных башен мусульманских храмов с округлыми куполами. Столь фантастического зодчества я не видел нигде в иных азиатских городах, от турецкого Стамбула до индонезийской Джакарты.

В пешаварских домах заурядны по-азиатски только первые этажи, занятые повсеместно уличными лавками В них выставлены напоказ рулоны пестроцветных тканей, орнаментированные самовары, кувшины и чайники, ювелирная мишура, сандалеты и барашковые папахи, восточные сладости и фрукты. Тут же на керосиновых горелках жарятся и остро пахнут шашлыки.

А рядом – оружейные магазинчики, где продают кому угодно винтовки, револьверы, боеприпасы. Здешние жители, воинственные пуштуны, поголовно имеют право обладать оружием. Частенько средь бела дня слышна уличная стрельба. Так пешаварцы обычно празднуют свадьбы или завершают ссоры по любому поводу.

Спорадические выстрелы никого не пугают. Возле лавок не редеют толпы женщин под зелеными чадрами и темноликих мужчин в белесых рубашках поверх широченных шаровар.

По мостовым неспешно шагают погонщики мулов с допотопными повозками. Меж них снуют мотоциклетные рикши с пассажирскими двухместными прицепами. На окрестных минаретах, оснащенных радиорупорами, звонко кричат муэдзины, оповещая всех об очередном молитвенном намазе.

В эти заповедные края я возмечтал попасть, будучи еще школьником и начитавшись приключенческих романов Редьярда Киплинга, знаменитого всемирно британского обожателя Индостана. Его книги побудили меня получить университетский диплом востоковеда и освоить языки Индии и Пакистана.

Первый раз я очутился в Индии в 1965 году. А в Пакистане и соседнем Афганистане – 16 лет спустя. И туда завлекло не журналистское любопытство, а начатая моей страной афганская война.

На афгано-пакистанской границе, неподалеку от Пешавара, я повстречался весной 1981 года и подружился с юным лейтенантом Виктором Лосевым. Нас сблизило необычное в армейской среде увлечение Виктора искусством и языками Востока. Он владел афганским диалектом дари и служил военным переводчиком.

Через неделю после нашего знакомства Виктор в бою с афганскими моджахедами был пленен ими. Они подвергли его жутким пыткам и казнили. Так расправлялись моджахеды со всеми взятыми в плен советскими офицерами. А некоторых наших солдат изредка щадили, если те соглашались поневоле стать мусульманами и безропотными рабами их захватчиков.

Девять лет наша армия сражалась в Афганистане, но все эти годы было запрещено советской прессе сообщать о гибнувших на той войне тысячах сограждан, десятках тысяч израненных калек, сотнях жертв афганского плена. За всю афганскую войну мне позволили лишь единый раз рассказать на страницах газеты «Красная звезда» о мученической смерти моего друга-лейтенанта. Но вслед за тем эту трагическую тематику заново строжайше табуировали.

Только после афганской войны я смог наконец-то разгласить, как еще в ее начале видел изрубленные кинжалами трупы моих соотечественников, угодивших в плен к моджахедам. Они обычно отрезали пленникам уши и носы, рассекали животы и вырывали кишки наружу, отрубали головы и запихивали внутрь распоротой брюшины. А когда добывали нескольких пленников, то измывались над ними поочередно на глазах следующих смертников.

Тошнотворное живодерство моджахедов вызывало иногда отвращение даже среди их симпатизеров – присланных к ним западных журналистов. Мне запомнился военный репортаж корреспондента радиостанции Би-би-си, англичанина Джона Фуллертона:

«Одну группу убитых в плену советских солдат, с которых содрали кожу, повесили напоказ на крюках. Другой пленник стал центральной игрушкой аттракциона под названием «бузкаши» – дикарского конного поло афганцев, скачущих на лошадях, выхватывая друг у друга вместо мяча обезглавленную овцу. Взамен нее они использовали плененного солдата. Живого! И он был разодран буквально на куски».

Хотя международная этика журналистов возбраняет им иметь оружие, я на афганской войне не расставался нигде с пистолетом на случай вынужденного самоубийства – страховки от возможности афганского плена с его предсмертными пытками.

В ноябре 1981 года я, корреспондент «Литературной газеты», побывал на севере Пакистана и встретился там с двумя главарями афганских моджахедов. Мое рискованное общение с ними было секретно санкционировано начальником пакистанской резидентуры КГБ полковником Вячеславом Гургеновым. С его ведома я отважился на ночное рандеву с предводителями моджахедов как бы ради газетного интервью с ними, а на самом деле — для попытки предложить им освободить хотя бы часть еще неубитых ими советских военнопленных.

За это в обмен потребовали моджахеды от нас очень крупную политическую уступку – включить их представителей в просоветское правительство Афганистана. Такой запрос сочли тогда в Москве чрезмерно наглым. Кремлевские вожди были в те дни абсолютно уверены, что непобедимая Советская Армия изничтожит вот-вот непокорные ей партизанские банды афганцев.

А горькая участь кучки недобитых афганских пленников не растревожила у нас высшие власти. Они по давней сталинской привычке подозревали в предательстве тех, кто выжил как-то во вражеском плену. Да к тому же невольники моджахедов были сплошь солдатами-призывниками из простого люда провинциальной бедноты. Ее сыновья всегда у московских владык безликое пушечное мясо.

В итоге мой пакистанский зондаж моджахедов оказался безрезультатным.

Минуло еще семь лет. И стал очевиден всем наш явный проигрыш афганской войны. Осознало это и обновленное руководство в Кремле, откуда начал рулить ослабевшей державой ее сладкоречистый реформатор Михаил Горбачев. Он посулил нам светлое будущее: «Перестройку», «Гласность», «Ускорение», «Новое мышление». И пообещал приступить к выводу советских войск из Афганистана с весны 1988 года, а закончить эту бесславную операцию в феврале последующего года.

Однако многословные декларации Горбачева о прекращении войны почему-то никак не упоминали наш общегосударственный долг – спасение узников афганского плена. Их поименный список – 312 солдат и сержантов – удалось мне заполучить в московском министерстве обороны.

Об этих страдальцах помалкивала по-прежнему советская пресса, раскрепощенная лишь отчасти горбачевской «гласностью». А я тщетно уговаривал своих шефов в «Литературной газете» прекратить цензурную утайку правды о беспомощных пленниках моджахедов.

От них отмахнулся хладнокровно горбачевский министр иностранных дел Эдуард Шеварднадзе, когда он в апреле 1988 года торжественно подписал договор правительств СССР, США, Пакистана, Афганистана и руководства ООН о мирном урегулировании послевоенных афганских проблем. В их обширном перечне не говорилось ничего о наших военнопленных. Тем самым все участники договора официально уклонились впредь от обязательств вызволять порабощенных моджахедами граждан Советского Союза.

И только после этой ущербной сделки Кремля дозволили «Литературной газете» опубликовать впервые в нашей прессе мой запоздалый репортаж о муках захваченных афганцами советских армейцев. После чего Шеварднадзе и сам Горбачев лицемерно высказали уже бесполезное сочувствие семьям военнопленных и обнадежили туманными обещаниями помочь чем-либо по возможности их несчастным детям в чужеземном плену...

Совсем по-иному среагировало множество читателей «Литературной газеты». В ее редакцию хлынула лавина адресованных мне писем. Это был ураганный взрыв изумления, болевого шока, сострадания и гнева в ответ на первую огласку нашего всеобщего позора – девятилетнего забвения сородичей в аду азиатского плена. Тысячи добросердечных людей со всех краев моей отчизны потребовали наивно от меня, безвластного газетчика, предпринять немедленно энергичные действия к выручке из Афганистана советских военнопленных.

Но как можно было выполнить такое вроде бы несбыточное пожелание? Оно тем не менее стало тогда массовым, громогласным и столь напористо обращенным напрямик ко мне, что я отчаянно решился на несвойственный журналисту поступок. Взялся организовать международный общественный комитет, дабы послать его делегацию на переговоры с атаманами моджахедов для выяснения их условий возврата нам еще не загубленных наших солдат.

И вот задуманный мною общественный комитет возник летом 1988 года, как ни удивительно, поначалу без помех со стороны Кремля. Ибо оттуда уже не посмели открыто подавить стихийный порыв российской общественности высвободить ее мальцов из афганского рабства.

Да к тому же верховные власти и хозяин советской дипломатии Шеварднадзе не имели никаких контактов с моджахедами, а потому сочли, что новорожденный комитет быстро обанкротится, так как его ничтожные простаки не сумеют самостоятельно связаться в далеком зарубежье с лидерами моджахедов.

Так сперва и произошло. Четыре месяца подряд я безуспешно отправлял послания своего комитета правительству Пакистана с просьбами разрешить нашей делегации посетить Пешавар, где находились всю афганскую войну прифронтовые штабы вожаков моджахедов. Их снабжали обильно в Пешаваре американским оружием – пулеметами, зенитками, снарядами и патронами, гранатометами, минами, противоавиационными ракетами «Стингер».

Утром 24 ноября 1988 года комитет за освобождение афганцами советских военнопленных устроил уличный митинг перед московским посольством Пакистана на Садовом кольце.

Накануне мы объявили по радио и в газетах о том, что будем на митинге беспротестно взывать к милосердию правительства Пакистана, уповая на распоряжение предоставить нашим делегатам пакистанские визы для поездки на переговоры с моджахедами в их пешаварских штабах.

Но менее чем за сутки до назначенного митинга меня и остальных членов комитета созвали вдруг на экстренное совещание с чиновниками центрального управления советских профсоюзов. Их постороннее вмешательство в дела общественного комитета инсценировали по команде сверху: на совещании присутствовал сотрудник аппарата ЦК КПСС. Его подголоски-профбюрократы категорично заявили, что завтрашний митинг спешно отменен городскими властями Москвы якобы из-за «угрозы уличных беспорядков».

Всем участникам нашего комитета запретили появляться на митинге. Предотвратить его уже было приказано военизированной роте ОМОНа.

А мне отдельно от остальных активистов комитета сообщили: я должен по директиве некой неназванной персоны из ЦК КПСС покинуть созданный мною комитет. Или подвергнусь за противодействие «строжайшему наказанию».

Впустую оспаривал я отмену митинга. И под конец выкрикнул отказ повиноваться погромщикам моего комитета:

— Я член КПСС, но не раб ЦК КПСС!

— Тем хуже для вас, — прозвучало в ответ.

Неугодный властям общественный комитет распался.

И все же на следующее утро я отправился к пакистанскому посольству. Ведь митинг еще не успели отменить публично. Несведущие о том манифестанты вполне могли нарваться на дубинки бойцов ОМОНа. И мое отсутствие там уподобило бы меня попу-провокатору Гапону.

Студеным по-зимнему утром я подошел на Садовом кольце к тысячной толпе перед посольским особняком Пакистана. Людское скопище на затоптанном снегу разъяренно рокотало. Пронзительно верещали женщины, подняв руки с фотоснимками их детей, пропавших в Афганистане. Среди демонстрантов выделялись ветераны афганской войны в камуфляжных куртках и зеленых шапках. Над головами колыхалось на палках красное полотнище транспаранта: «Свободу нашим сыновьям!»

Толпа наседала на шеренгу милиционеров, стоявших плечом к плечу вдоль фасада посольства. Но стражи порядка не отпихивали и не гнали уткнувшихся в них плачущих матерей военнопленных. Жалость к ним сковала на сей раз драчливых штурмовиков ОМОНа. Они даже помогли мне взобраться на жестянку мусорного ящика и призвать митингующих утихомириться:

— Если вы повредите здесь пакистанское посольство, то стократная месть обрушится на наших солдат в плену!

— А ты что предлагаешь? — раздался выкрик.

— Не надо буянить! — надрывался я. — Ваши сыновья и братья закованы цепями в тюремных ямах у афганцев. Орать поэтому бесцельно. Мы пришли сюда мирно уговорить пакистанцев передать их подопечным моджахедам нашу просьбу — пощадить родных нам пленников.

— А почему бездействует наше правительство? — загалдели в толпе. — Говори всю правду! Без обмана!

— Обманывать мне незачем, — ответил я. — Вчера вечером московские чиновники отменили с перепугу этот митинг.

— Сволочи! Подлецы! — загорланили отовсюду. — Что же нам делать? Как спасти ребят?

– Спасти их можете вы только сами! – выпалил я сгоряча. – Не надейтесь больше на наших чиновников. Берите ваше правое дело в свои руки. Создайте общенародный комитет за освобождение военнопленных.

Толпа одобрительно загудела. Однако не отпрянула ни на шаг от здания посольства и охранявших его милиционеров. Я был уже не в силах устранить нависшую угрозу рукопашного столкновения. От него, к счастью, избавил нас пакистанский посол Абдул Саттар.

Посол распорядился приоткрыть парадную дверь его резиденции и впустить внутрь меня и четверых отобранных мною манифестантов. Это были три матери военнопленных и молодой демобилизованный солдат афганской войны.

В кабинете посла солдатские матери, заплакав, упали перед ним на колени. Они умоляли его спасти их сыновей. Растроганный дипломат поднял рыдавших женщин и пообещал как-либо помочь.

Абдул Саттар сказал, что пакистанские власти не будут возражать против освобождения афганцами советских пленников. Он согласился передать главарям моджахедов в Пешаваре нашу просьбу о переговорах с ними

Когда мы покинули посольство, я рассказал ждавшим нас демонстрантам о благородном поведении пакистанского посла и его обещаниях. Мои слова подтвердила посетившая посольство солдатская мать. Напряженность митинга спала. Толпа обмякла и начала редеть.

Офицеры милиции подошли ко мне пожать руку. Их командир-полковник приказал шоферу его «Волги» отвезти меня домой.

Тем не менее день спустя главный рупор ЦК КПСС газета «Правда» осудила подстрекателя самостийного митинга перед посольством Пакистана:

«Полной неожиданностью явилось заявление, прямо скажем, не очень сдержанное по форме, Ионы Андронова. Он сообщил о том, что «чиновники» якобы запретили митинг и что воинам- интернационалистам надо «брать» все в свои руки, ибо никто, кроме них самих, заниматься вызволением ребят из плена не будет».

Это был кремлевский сигнал моему начальству в «Литературной газете» расправиться со смутьяном в назидание его единомышленникам. И взяв под козырек, редактор «Литгазеты» выгнал меня из нее за «политическую невыдержанность» и «недопустимые призывы к толпе брать дело в свои руки».

Такой приговор означал изгнание с «волчьим билетом» из советской журналистики. До этого я был ее лояльным профессионалом на протяжении 30 лет. И ничего иного делать не умел. А, очутившись безработным, попытался пятикратно устроиться в разные редакции столичной прессы, но там везде по указке свыше отказывали мне в найме.

Чтобы совсем доконать лишенца, влиятельный партаппаратчик и тогдашний верховод «Литгазеты» Юрий Изюмов предложил Комитету госбезопасности упечь меня в тюремную психбольницу. Но туда не пожелал засадить меня, как выяснилось позже, первый зампредседателя КГБ генерал Филипп Бобков.

Генерал-контрразведчик, будучи давним инквизитором всяческих диссидентов, преобразился, однако, в добряка по веской для него причине: его ведомство на том гуманном этапе «перестройки» выпускало из тюрем и психушек всех политзеков. Благодаря им повезло и мне, отнюдь не диссиденту, остаться на свободе.

Памятный 89-й год я прожил впервые вольготно, хотя и безденежно, на махонькие заработки внештатного репортера в захудалом московском журнальчике. Мои каратели больше не преследовали повергнутого изгоя. Их всевластие улетучилось. Они лишь цеплялись панически за свои чиновные посты и номенклатурные привилегии – льготные пайки деликатесной жратвы, бесплатные казенные лимузины, загородные госдачи, кремлевскую медобслугу, курортные загранвояжи на дармовщину.

Тем временем ко мне домой звонили беспрестанно по телефону незнакомые люди. Это были родственники военнопленных и соучастники прошлого митинга перед пакистанским посольством. Все они напоминали, как я призвал их на митинге создать народный комитет за спасение наших солдат из афганской неволи. Матери пленников настырно упрашивали возобновить прерванное дело. Они не верили мне, когда я отвечал, что бессилен им помочь по вине властей.

Запальчивость солдатских матерей была настолько страстной, что постепенно, словно мощный аккумулятор, воодушевила меня возобновить опять бунтарскую затею. Четыреста ее энтузиастов собрались февральским вечером 1989 года в зале районного дома культуры на Тишинке и учредили после моего выступления Народный комитет за освобождение советских военнопленных в Афганистане.

Костяк комитета составили приехавшие в столицу издалека матери узников моджахедов.

Через месяц я договорился с пакистанским послом Абулом Саттаром о повторном приеме им солдатских матерей из Народного комитета. Посол встретил заново несчастных женщин с неподдельной сердечностью. Он сказал, что сам в молодости попал в плен во время боев на индо-пакистанской границе и хлебнул сполна концлагерного горя.

Саттар взял у нас два письменных послания – премьер-министру Пакистана и эмигрантскому правительству моджахедов в пакистанском Пешаваре. Посол заявил, что рассчитывает получить согласие на приезд наших делегатов в Пешавар для встречи с лидерами моджахедов.

Но вслед за поддержкой пакистанского посла нам потребовалось преодолеть частокол отечественных препятствий. Как убедить Выездную комиссию ЦК КПСС разрешить выдачу заграничных паспортов опальному журналисту и делегации рядовых гражданок? Где раздобыть иностранную валюту на дальнее путешествие в Пешавар посланцев самодеятельного комитета?

Первую проблему с паспортами взялся уладить оказавший мне большую помощь секретарь правления Союза писателей СССР литератор Александр Проханов. Он был вхож в элитарные сферы советского истэблишмента.

Проханов многократно побывал на фронтах афганской войны и описал ее обильно в своих газетных репортажах и книгах. Он решил примкнуть к нашему Народному комитету и провести с нами поначалу некоторое время в Пакистане. Выдача нам загранпаспортов – его заслуга.

А инвалютой снабдили нас двое администраторов Советского фонда мира – шахматный король Анатолий Карпов и его заместитель Владимир Маслин, депутат Верховного Совета СССР и мой давнишний друг.

Мои прежние недруги на сей раз как будто бы анемично затаились. Я счел это признаком позитивных перемен в их верхушке. Но ошибся наполовину.

Вскоре разузнал, что в Пакистане будут сопровождать делегацию Народного комитета четверо советских корреспондентов, которых загодя проинструктировали: в случае успеха переговоров с моджахедами не упоминать никак Андронова. Взамен предписали героизировать всячески аккредитованного в Пакистане советского посла Виктора Якунина, бывшего функционера ЦК КПСС.

Мелочное интриганство уязвило меня лишь слегка. Так или иначе игра стоила свеч. А злопыхатели проиграли по крупному: наперекор им 17 июня 1989 года мы вылетели из аэропорта Шереметьево спасать из афганского плена наших парнишек.

Летели с пересадками окольным маршрутом. Вначале на юг и далее на север: Москва – Ташкент – Карачи – Исламабад – Пешавар.

В Пешаваре мы поселились в отеле и принялись день за днем обходить штабы моджахедов. Снаружи их окружали высокие стены из бетона, колючая проволока, сторожевые вышки с часовыми и длинноствольными пулеметами. Нас впускали неохотно во внутренние казематы. Вожаки моджахедов с их вооруженной челядью не скрывали своей ненависти к русским пришельцам.

Мы были в глазах моджахедов безбожным отродьем кровожадного сатаны, убившего почти миллион афганцев советскими бомбами, ракетами, артснарядами, минами. Мы и впрямь олицетворяли тех, кто породил солдат-интервентов. От них сбежали на чужбину пешаварские моджахеды и еще пять миллионов их соплеменников. За все это они объявили против нас «джихад» – священную войну.

Перед вылетом из Москвы, предвидя пешаварскую негостеприимность, я попросил женщин нашей делегации запастись долготерпением и облачиться по-мусульмански в черные платья без оголения плеч, колен, рук до запястий. К тому же надеть черные чулки, туфли, головные платочки. А сам снимал ботинки до входа в комнаты штабов моджахедов. Почтительное соблюдение этикета фанатиков «джихада» все же не гарантировало от спонтанной вспышки злобы любого из них. Какой-нибудь афганский боевик, вспомнив убитого советскими солдатами брата, отца или друга, мог бы отомстить пулей либо ударом кинжала.

Наша первая встреча с моджахедами началась с того, что на подходе к их штабу кто-то оглушительно взорвал неподалеку от нас осколочный фугас. Мы чудом не пострадали. Поблизости двое пешаварцев были растерзаны в клочья. Но даже из-за этого мои спутницы не оробели. И потом ни разу не струсили.

Бесстрашие солдатских матерей в сочетании с их эмоциональным по-женски миролюбием изрядно помогло смягчить наши переговоры с предводителями моджахедов.

Мы посетили президента их повстанческого правительства Сибхатуллу Моджадеди и его министров Гульбеддина Хекматьяра, Саяда Гейлани, Бурхануддина Раббани.

Каждый из них имел свой отдельный военный штаб и командовал оттуда подчиненными только ему партизанскими отрядами на территории Афганистана. При таком сепаратизме каждый из наших пешаварских собеседников был независимым рабовладельцем захваченных его бойцами советских пленников. Их освобождение мы выпрашивали раз за разом во всех доступных нам тогда штабах моджахедов.

Многосерийность изнурительной говорильни завершилась тем, что мы везде получили одинаковый отказ высвободить хотя бы единого нашего солдата. Даже так не пожелали моджахеды минимально ответить на полный вывод советских войск из Афганистана четыре месяца назад.

Антивоенную акцию СССР моджахеды самодовольно объявили своей боевой победой. И теперь спесиво поручили нам передать московскому правительству их ультиматум: они освободят наших солдат лишь при условии прекращения всех поставок советского оружия армии афганских коммунистов во главе с кабульским президентом Наджибуллой.

Ультиматум моджахедов воспринял я, востоковед, как азиатское обычное вымогательство, общепринятое тут в политике и на здешних базарах. Рыночный торгаш всегда требует нахально завышенную плату за его товар, а покупатель упрямо сбивает цену. Они спорят долго и горячо, божатся наперегонки именем Аллаха, бранятся и мирятся. Так уж заведено на Востоке. И точно так поступили пешаварские торговцы невольниками.

С ними поторговались и мы, добивались компромиссного довеска к их ультиматуму: до того, как Москва официально отреагирует на него, вожаки моджахедов согласились авансом обменять небольшую группу советских солдат на пойманных кабульскими войсками ратников «джихада».

Такой обмен мы не были способны сами осуществить без одобрения в Москве и Кабуле. Пришлось уехать из Пешавара ни с чем, надеясь вернуться вновь сюда, но уже не с пустыми руками. Утешало одно: наш комитет реализовал переговоры с моджахедами о забытых Кремлем военнопленных.

В Москве президент СССР Михаил Горбачев согласился по нашей просьбе направить личную телеграмму афганскому президенту Наджибулле с предложением освободить группу арестованных моджахедов в обмен на спасение советских военнопленных.

21 июля 1989 года военно-транспортный авиагрузовоз «Ил-76» доставил нашу делегацию в Кабул. Ежесуточно воздушные гиганты «Ил-76» курсировали между аэродромами советских ВВС и афганской столицей. Ее осаждали моджахеды, а для отпора им армия Наджибуллы получала из СССР по авиамосту сотни тысяч тонн оружия, боезарядов, горючего для бронетехники. Население Кабула питалось лепешками из российской муки, нашими консервами, сахаром, маслом. Без всех этих поставок Наджибулла не смог бы долго обороняться.

Он принял нас во дворце прежних афганских королей. Помпезные интерьеры – тяжелая старинная мебель, сизый мрамор стен, бордовые ковры – придавали вальяжную внушительность полнотелому президенту. У него было квадратно-мясистое лицо, густые черные усы, темные глазищи навыкате, как у породистого бульдога.

В разговоре со мной Наджибулла сверлил меня выпученными очами так пронзительно и зловеще, как будто на тюремном допросе. Такая странность была его хобби. Он до президентства возглавлял кабульскую полицию госбезопасности, сформированную первоначально офицерами советского КГБ. На пост президента продвинул его председатель КГБ Владимир Крючков.

Наджибулла уже получил телеграмму Горбачева, а посему изрек, что подарит нам 45 пленных воинов «джихада» для пешаварского обмена на наших солдат.

Диалог на ту же тему после аудиенции у Наджибуллы повторился позже на моей встрече с начальником кабульской госбезопасности генералом Гулямом Якуби. Но и эта беседа была лишь церемониальным предисловием к подлинно деловому сговору. Он состоялся в пригородном районе Кабула, где располагалось советское посольство. Там, на втором этаже, в кабинете за двумя звуконепроницаемыми дверями я повидался с глазу на глаз с шефом афганской резидентуры КГБ генералом Владимиром Павловичем Зайцевым.

Генерал Зайцев был негласным кукловодом всей кабульской знати, включая марионетку в экс-королевском дворце. Наместник КГБ вершил маскировочно в Кабуле наиболее важные дела. Включая даже тюремные. И потому он сам вручил мне поименный список арестантов, отсортированных его оперативниками для пешаварского обмена. Зайцев не поскупился:

– В списке 65 человек. Если потребуется – дадим еще хоть сотню. Ради обмена наших пленных, Иона, нам ничего не жалко отдать.

Только не обмишурьтесь в Пешаваре. Не отдавайте никого задарма. Обмен будет непростой задачей.

Спустя месяц я, побывав в Москве, вернулся со списком Зайцева в Пакистан. В его столице Исламабаде я решился на авантюрную выходку – напросился на прием у директора Интерсервис интеллидженс генерала Шамсура Каллу. Его военизированная служба госбезопасности, снабжая моджахедов американским оружием, держала их тем самым под своим контролем и вообще командовала ими зачастую. А я научился за многие годы зарубежной журналистики не шарахаться боязливо от акул шпионажа. Они, иноземные и свои, кишели вокруг меня повсюду. И не кусали тех, кто приспособился уживаться с ними.

Генерал Каллу прислал за мной один из его служебных автомобилей. Меня привезли к зданию конторского вида за оградой из железных прутьев. Открыли металлические ворота. За ними стояли стражники и офицер, поджидавший меня. Он молча ввел посетителя в просторную комнату с канцелярской мебелью. Окна были наглухо зашторены. Помещение освещали электроторшеры.

Через минуту появился начальник спецслужбы – рослый пожилой мужчина в хлопчатом френче. Я принялся рассказывать ему о нашем общественном движении за спасение советских военнопленных. Изложил и план предложить вождям моджахедов обменять первую группу их пленников на бойцов «джихада» из кабульской тюрьмы. Для успеха обмена попросил генерала использовать его большое влияние на пешаварских моджахедов. Добавил, что это благотворно скажется на советско-пакистанских отношениях.

Генерал безмолвно смотрел на меня изучающим взглядом бесстрастных карих глаз. В них не было ни сочувствия, ни скепсиса, ни малейшего отражения его настроя или мыслей. Когда я выговорился, он негромко произнес по-английски:

– Ваш недостаток в том, что вы, европеец, плохо знаете афганских моджахедов. Смерть, любые бедствия, страдания в плену – это у них предначертанная Аллахом неотвратимость людской судьбы. Они набожные фаталисты. Им нужен от вас не обмен военнопленными, а прекращение поставок Кабулу советского оружия. Только ради этого они могут вернуть вам пару или тройку ваших солдат. Но остальных пока не обменяют.

– Так вы, значит, не поможете нам?

– Помогу немного, – сказал он. – Но не обещаю скорого освобождения ваших пленных. Помогу вам лишь возобновить переговоры с моджахедами.

Он сдержал слово. По его указанию моджахеды в Пешаваре уполномочили министра их правительства Фарука Азама спланировать с нами детально первичный обмен военнопленными. Помимо Азама я познакомился в пешаварских штабах моджахедов с афганцем по имени Хамид Карзай. Он был политическим советником тогдашнего президента эмигрантского правительства моджахедов. Карзай отличался от большинства оголтелых проповедников «джихада» своей безвраждебностью ко мне, вроде бы советскому недругу,

Карзай был интеллигентен, всегда любезен, получил заграничное образование, легко изъяснялся по-английски. Его патриотизм и порицание московской политики в Афганистане совмещались с редкостной осведомленностью обо всех новшествах в моей стране.

Помню, как Карзай разговорился со мной о начавшемся в Москве двоевластии – соперничестве Ельцина с Горбачевым. На сей счет Карзай полюбопытствовал:

– Зачем ваш Ельцин подстрекает национальные республики Советского Союза к суверенитету? Такое может развалить вашу страну.

– А вы печетесь о нашем благе? – рассмеялся я. – Вы же девять лет воевали насмерть против нас.

– Да, мы прогнали вас с нашей земли, – сказал Карзай. – Но мы не хотим, чтобы Россия перестала быть нашим северным соседом.

– Почему?

– Потому что наши соседи на юге и западе – Пакистан и Иран – намного мощнее нас и пытаются подчинить себе афганцев. А русские не позволят этого сделать.

В ответ я, недальновидный дуралей, постарался успокоить Карзая: Ельцин делает всего лишь вынужденные поблажки нашим нерусским окраинам. Таким образом он гасит там тлеющие искры мятежей. Это сохранит нашу державу.

Моя честная глупость была микроскопической частицей былого доверия в России к Ельцину. Вскоре он расчленил наше великое государство за хмельным застольем в Беловежской пуще. А мой пешаварский разговор с умницей Карзаем примечателен, наверное, доныне кое-чем: Хамид Карзай стал президентом Афганистана.

Когда я общался с ним в Пешаваре, его непосредственный начальник – президент моджахедов Моджадеди – сообщил мне, что хочет после моего отъезда послать Карзая в Москву для дальнейших переговоров с российским руководством. Крах СССР перечеркнул тот проект. Мы больше не соседи афганцев. В их геополитике наша значимость теперь сильно помельчала.

Феерический взлет Карзая к вершине кабульской власти произошел, как известно, в 2002 году на штыках американских войск. Они обрушились на Афганистан в отместку за укрывательство там знаменитого супертеррориста бен-Ладена, чьи камикадзе торпедировали небоскребы в Нью-Йорке.

Но у нас в России мало кто знает, что янки, атаковав Афганистан, десантировали туда в качестве нужного им правителя афганцев вовсе не Карзая. Его сегодняшнее президентство – удивительная случайность. Чему предшествовало убийство.

Кого убили и как – об этом ведает лучше меня еще один знакомый мне журналист. Но о том помалкивает, хотя был сообщником убитого, а потом выступал каждую неделю по нашему телевидению.

Он был одновременно со мной в Пешаваре. Прожил там намного дольше, чем я. Ошивался гораздо больше меня в штабах моджахедов. Они привечали его за то, что он отъявленный антисоветчик.

Его родной язык – русский, а паспорт у него гражданина Канады. Московские журналисты дали ему кличку «Слишком шустер». Его фамилия действительно Шустер. Имя – Савелий. На телевидении зовется Савиком Шустером.

Телезвездный Шустер был весьма популярен в 90-х годах и раздавал газетчикам пространные интервью о своих бурных похождениях. Про то, как он эмигрировал из советской Прибалтики в Израиль, переехал в Канаду к богатому дядюшке, а потом помчался за тридевять земель на афганскую войну помогать моджахедам партизанить против армии отвергнутого им отечества.

Шустрый попрыгунчик подвизался у моджахедов в разноликих амплуа – медика французской организации «Врачи мира», репортера американского журнала «Ньюсуик», парижской газеты «Либерасьон», итальянского журнала «Фригидер».

С 1988 года Шустер – сотрудник учрежденной вашингтонским ЦРУ радиостанции «Свобода». По совместительству, Шустер был в Пешаваре связником с крупным военачальником «джихада» Абдулом Хаком, завербованным разведкой министерства обороны США.

Среди вожаков моджахедов Абдул Хак сделался фаворитом американских разведслужб. Боевики Хака имели потайные гнезда в горах близ Кабула и проникали по ночам в афганскую столицу. Там Хак сплел шпионскую паутину конспиративных ячеек. Каждая из них насчитывала лишь тройку лазутчиков и действовала отдельно от остальных во избежание провала всей сети подполья. Самоизолированные тройки агентов подчинялись только Хаку. Его приспешникам удалось просочиться в сердцевину правительства Наджибуллы – министерства госбезопасности, внутренних дел и войсковое командование.

Все рассекреченное Хаком в Кабуле он сообщал американцам. Они ценили его рапорты столь высоко, что пригласили Хака погостить в Вашингтоне. Хак удостоился приема в Пентагоне, госдепартаменте США, Белом доме и встретился с президентом Рональдом Рейганом. Тот даже распил с Хаком по бокалу вина и произнес тост:

– Мы выражаем наше почтение одному из храбрейших командиров афганских борцов за свободу – Абдулу Хаку. Мы с вами, Абдул Хак!

Опекавший Хака проворный Шустер провел с ним три месяца в Соединенных Штатах. Впоследствии бывший сослуживец Шустера на радиостанции «Свобода» Владимир Матусевич, уйдя в отставку, разоткровенничался публично:

– В 1987 году Савик Шустер сопровождал Абдула Хака в поездке из Пешавара в Вашингтон и обратно в Пешавар. Самое непостижимое, что Шустер организовал этот вояж и оплатил деньгами руководства «Свободы». Притом Шустер тогда еще не имел никакого отношения к радиостанции. Зато директор «Свободы», глава ее русской службы и его заместитель в ту пору были, как на подбор, из американских «органов». Причем они не аналитики, а оперативники.

Тремя годами ранее Шустер провернул не менее «непостижимую» махинацию вместе с Хаком и его диверсантами в Кабуле. Об этом поведал друживший с Хаком в Пешаваре корреспондент американской телекомпании Си-би-эс Курт Лоубек. Он издал в США книгу своих воспоминании об афганской войне – «Священная война и нечестивая победа глазами очевидца секретной войны ЦРУ в Афганистане». Телевизионный мемуарист рассказывает:

«Советская армия оказалась своеобразной мишенью Абдула Хака. С помощью Савика Шустера, беженца из Литвы, были изготовлены фальшивые экземпляры советской армейской газеты «Красная звезда» и поддельные плакаты советских войск. Растиражированную газету подбрасывали солдатам советских гарнизонов в Кабуле и вокруг него. Плакаты наклеивали на стены домов по всему городу. Газеты и плакаты призывали солдат не подчиняться воинским приказам и дезертировать. Подобная дезинформация распространялась также с целью воспламенить фракционный раскол между афганскими коммунистами».

Вношу поправку: засылка в Кабул лже-советских газет и плакатов не была инициативой Шустера и Абдула Хака. Эту операцию разработали штабисты ЦРУ. Их наймиты из русско-эмигрантского «Народно-трудового союза» приехали, по моим сведениям, в Пешавар и попытались нарекрутировать среди советских военнопленных достаточно изменников для образования в Афганистане спецотряда солдат-перебежчиков по типу гитлеровских «власовцев». Однако афера провалилась.

Американская пресса разузнала в 2003 году, что ЦРУ получило в 1985 году директиву из президентского Белого дома подстроить в Афганистане массовое дезертирство из советских войск. ЦРУ дали задание навербовать среди дезертиров десять тысяч бойцов, способных сражаться против их недавних советских соратников. Но эта несбыточная затея лопнула. Участником той безуспешной спецоперации и был наймит ЦРУ Шустер.

В дальнейшем руководство ЦРУ оправдывало свой афганский промах тем, что моджахеды изуверски пытали и убивали «каждых девятерых из десяти пленников». Оставляли в живых только тех, кто соглашались принять ислам, сменить русскоязычное имя на афгано-мусульманское и стать рабами для гомосексуальных утех моджахедов. За девять лет советского соучастия в афганской бойне ЦРУ смогло выкупить у моджахедов лишь 18 военнопленных по цене 25 тысяч долларов за одного.

Спасенные мною из плена наши юные солдаты имели намалеванные по-женски темные глазницы и начерненные ресницы. В Афганистане гомосексуализм – распространенное явление.

В 1988 году, когда советские войска покидали Афганистан и оставляли часть их вооружения кабульским союзникам, Шустер прокрался из Пешавара на афганскую территорию под охраной моджахедов Хака. И занялся поиском бронетехники, брошенной кабульцами на полях сражений. Потом он хвалился, что ему удалось хорошенько осмотреть шесть бесхозных советских танков. Но кто же дал радиожурналисту столь специфичное задание?

Об этом можно догадаться со слов бывшего коллеги Шустера – упомянутого выше Матусевича:

– В начале 1988 года Шустер свалился, как снег на голову, на русскую службу радиостанции «Свобода». При этом новому сотруднику не потребовалось продемонстрировать профессиональную состоятельность, получить «добро» редакторов, пройти соответствующее оформление в отделе кадров. За всю историю существования «Свободы» так случилось лишь трижды. В начале 70-х годов перебежчик из СССР Владимир Марин был переведен на радиостанцию из американской шпионской школы в немецком городе Гармиш-Партенкирхен. В 1997 году на русскую службу радиостанции определили Евгения Новикова, потрудившегося также в Гармиш-Партенкирхене и оттуда отфутболенного ЦРУ на «Свободу». В ряду уникальных случаев, таким образом, и Савик Шустер. Сегодняшняя «Свобода» – инструмент психологической и дезинформационной войны. То есть воинское подразделение».

Все это сказано тоже антисоветским перебежчиком, живущим теперь в Вашингтоне. Матусевич проработал на радио «Свобода» более 20 лет.

Между тем неутомимый Шустер получил приказ перебазироваться с афганской войны далеко на север, в столицу нового американского друга Бориса Ельцина. Он самолично повелел открыть в Москве радиофорпост вашингтонской «Свободы». Туда назначили директором реэмигранта Шустера.

Возвращенец проявил опять такую прыть, что даже ельцинисты газеты «Московский комсомолец» напечатали статейку, в которой радиоконтора неугомонного «Слишком шустера» была игриво названа как бы по-детски «песочницей ЦРУ».

Весной 2001 года Шустер изловчился в Москве внедриться в эпицентр российской прессы: он перескочил с американского радио на российские телеэкраны информационного концерна НТВ. Там главенствовал тогда административно выходец из США русскоязычный бизнесмен Борис Йордан. При его содействии Шустер заделался ведущим самых ударных политических телепрограмм – «Герой дня» и «Свобода слова». Злословие о нашей жизни с ядовитой примесью русофобии дурманило мозги телезрителей.

В 2005 году Шустер переместился из Москвы в Киев на украинское телевидение. Но в Москве и других больших российских городах орудуют в журналистике поныне бывалые сподвижники Шустера с американского радио «Свобода».

Осенью 2001 года ЦРУ активизировало давнишнего партнера Шустера – пешаварского моджахеда Абдула Хака. Его посетил 20 октября резидент ЦРУ в Пешаваре и обсудил с ним финальную подготовку к секретной операции, которую предстояло Хаку начать следующим утром.

До этого американские ВВС уже две недели бомбили беспрерывно военные объекты в Афганистане, где власть захватили исламские сектанты талибы и пригретые ими арабские террористы под командой заклятого врага США бен-Ладена.

ЦРУ получило задание президента Джорджа Буша сформировать авангард наземного вторжения в юго-восточные районы Афганистана. К броску туда подготовили вертолетный спецназ ЦРУ и нанятых в Пешаваре афганских боевиков Абдула Хака. Ему полагалось первым сразиться с талибами. И только потом ЦРУ опасливо запланировало послать вдогонку за Хаком своих спецназовцев – пулеметчиков, снайперов, подрывников, вертолетчиков.

Американцы снабдили передовой отряд Хака стрелковым оружием, телефоном космо-спутниковой связи и большим мешком сто-долларовых купюр для взяток старейшинам афганских племен. Использовать их алчность рекомендовали Хаку для возбуждения мятежей против талибов. А чтобы он не присвоил начинку мешка, присоединили к его отряду пару спецназовцев ЦРУ.

На пятый день афганского рейда Хак позвонил по походному телефону своим попечителям в Пешаваре. Хак истошно вопил:

– Я в капкане на дороге в горном ущелье южнее Кабула! Талибы впереди! Талибы сзади! Можете быстро помочь?

Немедленно два вертолета ЦРУ и самолет-ракетоносец вылетели спасать отряд Хака. Напавшие на него талибы были обстреляны и залегли в расщелинах гор по бокам дороги. Но с нее подобрали вертолетчики под огнем талибов только обоих американцев и полдюжины соратников Хака. Остальных талибы успели убить или пленить.

В тот же день талибы приволокли в Кабул связанного веревкой Хака, трех других пешаварцев и мешок с долларами. На городской площади показали толпе пленников и денежный трофей. Удавили Хака и его приспешников на виселице. А их трупы изрешетили пулями. Радиостанция Кабула объявила: «Американские шпионы казнены».

Все это я вычитал в некрологах о Хаке в газетах «Нью-Йорк таймс», «Вашингтон пост», журнале «Тайм». Они констатировали: «Абдул Хак считался некоторыми государственными деятелями

США потенциальным лидером низвержения талибов... Абдул Хак был драгоценным приобретением США... После смерти Абдула Хака нет больше у ЦРУ фигуры подобной значимости».

Однако три недели спустя ЦРУ раздобыло подходящего афганца на замену погибшего Хака. Фотоснимки дублера замелькали в американской прессе. Это был знакомый мне моджахед из Пешавара. Его фотопортрет в журнале «Тайм» имел весьма циничную подпись: «Хамид Карзай, оперирующий ныне с помощью ЦРУ».

Карзай спутался с ЦРУ, если верить американцам, отчасти по причине кровной мести талибам, убившим его 75-летнего отца. Братья и сестра Карзая обрели убежище в США и преуспели там в ресторанном бизнесе. А он отсиживался один у пакистанцев близ афганской границы, где резиденты ЦРУ соблазнили его сыграть заглавную роль их вассала в Кабуле после изгнания оттуда талибов.

Американский сценарий осуществился. Да только не полностью и временно: побежденные талибы все еще бандитствуют, бен-Ладен неуловим, а Карзай доиграет свою роль, быть может, по-афгански непредсказуемо. Ведь свободолюбие афганцев порушило уже немало чуждых им агрессивных сценариев – три британских и один советский...

Но вернемся, мой читатель, в Пешавар, к осенним дням 1989 года, когда я под конец шестинедельных переговоров с моджахедами добился-таки их согласия на первый обмен военнопленными. Полученный мною в Кабуле список их соратников для обмена вожаки моджахедов отвергли. Взамен они вручили их новый список из 33 имен.

Моджахеды объявили, что они уже приволокли к афгано-пакистанской границе 20 советских пленников. Однако предупредили: отдадут сперва лишь двоих, чтобы проверить насколько честно мы рассчитаемся за пробный возврат нам пары солдат. За них надлежало освободить из кабульской тюрьмы 33-х арестованных поборников «джихада».

Неравночисленность обмена была обусловлена моджахедами безапелляционно: если мы оспорим их требования, то не получим от них вообще никого. И с этим пришлось смириться. Советское посольство в Пакистане разрешило мне перекличку зашифрованными радиодепешами с Москвой и Кабулом, откуда вынужденно одобрили обмен военнопленными на условиях моджахедов.

Список 33 кабульских арестантов, подлежащих отправке в Пешавар, имел поразительную особенность. В тот список включили моджахеды только пятерых афганцев! Еще трое были арабами, а 25 – уроженцами Пакистана. Этот мозаичный ребус зеркально отражал закулисные зигзаги афганской войны.

Ее тыловой плацдарм на севере Пакистана был подвластен войскам тамошних генералов. А их ублажить моджахеды захотели в наибольшей степени при обмене военнопленными. Да и мне было выгодно отблагодарить за оказанную помощь директора пакистанской госбезопасности генерала Каллу, чьими агентами оказались 25 пакистанцев в кабульской каталажке.

Вместе с тем кабульская тройка пленных арабов – иорданец и двое из Саудовской Аравии – стали подарком моджахедов новоселу Пешавара саудовцу Усаме бен-Ладену. Он, баснословный богач и воспитанник воинственной секты ваххабитов, прожил в Пешаваре пять лет, подружился с местными оперативниками ЦРУ и покупал для моджахедов самое дорогостоящее и дефицитное оружие американцев, включая ракеты «Стингер».

С 1984 года бен-Ладен приступил к вербовке и доставке на свои деньги в Пешавар сотен матерых террористов-мусульман из Египта, Алжира, Ливии, Йемена и прочих арабских стран. Головорезы саудовского ваххабита совершали боевые вылазки в приграничные области Афганистана. Мне довелось побывать во время войны в афганских провинциях Пактия и Нанграхар, где разбойничал бен-Ладен с его шайками. Их вытурили оттуда советские десантники.

На западной окраине Пешавара бен-Ладен обустроил штаб в солидном особняке современной постройки на улице Саид Джалалуддин Афгани. Логово арабских террористов именовалось Бейт аль-Ансар – «Дом правоверных». Это был зародыш нынешнего глобального спрута терроризма аль-Каиды, то бишь «Базы».

В пешаварской базе бен-Ладена с ним сотрудничал иорданский ваххабит по имени Хабиб Абдул Рахман, он же Хаттаб, он же «Черный Араб». Этот вояка афганского «джихада» 14 лет спустя бесчинствовал и окочурился в российской Чечне.

При моем обходе пешаварских штабов моджахедов не было никакого смысла соваться в «Дом правоверных» бен-Ладена. Он не имел ни одного пленного нашего солдата. Закоренелые убийцы бен-Ладена, обезоружив какого-либо «неправоверного», сразу же подвергали его садистской мясорубке.

На исходе октября 89-го года я отправился в Москву синхронизировать там одновременность выхода на волю пешаварских и кабульских узников. Ранее в Кабуле я побывал в представительстве Международного Красного Креста. Его сотрудники-швейцарцы согласились вывезти на их самолете 33 эвакуанта из местной тюрьмы.

А в Москве министр обороны маршал Язов дал нам для многочасового полета воздушного старикашку – тихоход АН-26. В нем из-за отсутствия туалета поставили обыкновенное ведерко и зашторили узенькой тряпичной занавеской. Ну, разве позабудешь такую трогательную маршальскую заботу?

Малокомфортность длинного перелета в Пакистан не подорвала, однако, радостного настроения моих спутников. Их было шестеро: отец пленного солдата Алексей Амелин, трое солдатских матерей и две приглашенные нами из Украины и Белоруссии деревенские жительницы – Валентина Афанасьевна Прокопчук и Мария Николаевна Лопух. Им обеим повезло больше всех. Только их сыновей пообещали отдать нам пешаварские моджахеды.

Первичное освобождение пары советских военнопленных привлекло в Пешавар полторы сотни пакистанских и западных журналистов. Они скопились на дворе главного штаба президента моджахедов. Репортеры держали наготове телекамеры, фотоаппараты, магнитофоны и пихали всех бесцеремонно, когда моджахеды вывели на двор двух бледнолицых парней в здешних долгополых рубахах и шароварах.

Женщины метнулись к сыновьям, обняли их, целовали, расплакались от счастья и пережитой разлуки. Эти мгновения восторга и слез фотографировали со всех сторон, а потом запечатлели в телекадрах и газетных снимках по всему свету.

Утром следующего дня мы вылетели в Москву на антикварной тарахтелке ВВС маршала Язова. Обнаружилось, что он предусмотрительно приказал выдать на обратном пути репатриантам из афганского плена по комплекту солдатского обмундирования – пехотный бушлат, штаны, шапку со звездочкой, кирзовые сапоги и портянки. Вчерашние пленники послушно переоделись, чтобы предстать перед московской публикой и прессой бравыми армейцами. Молодец, товарищ маршал! Ура!

Продолжительный полет позволил мне подробно расспросить Валерия и Андрея об их пленении. Оно оказалось совсем негероичным.

Тщедушный и низкорослый Андрей рассказал, как более сильные солдаты-сослуживцы постоянно колошматили его ради забавы, а он убегал из казармы от побоев и прятался поблизости на арбузной бахче, где был пойман моджахедами. Они сцапали и Валерия тоже без его сопротивления, хотя он, в отличие от Андрея, был вооружен автоматом и дежурил на гарнизонном посту, но заснул там, как признался мне, выкурив афганскую сигарету табачного наркотика «чарс».

Оба солдата в плену у моджахедов быстренько стали мусульманами, чтобы спастись от пыток и казни. А перед нашим отлетом в Москву они выбросили при мне полученные от моджахедов исламские молитвенники.

Общее впечатление от обоих солдат разбередило мою совесть на подлете к Москве: я вез туда тех, кто был недостоин предстоящего им столичного чествования.

Такие мои самотерзания участились впоследствии, когда судьба свела еще с десятком выходцев из афганского плена. Большинство из них, измученных «дедовщиной» в своих гарнизонах, бежали куда глаза глядят и стали легкой добычей моджахедов. Меньшинство попало в плен, очумев от сигарет с наркотой. Уцелевшие в плену приняли ислам, ремонтировали для моджахедов трофейное советское оружие, были домашней прислугой и педоналожниками. А иных непокладистых невольников моджахеды всегда уничтожали.

Ничего этого не знали москвичи, встречавшие с букетами красных роз Андрея и Валерия в аэропорту «Домодедово». А я успокоил себя тем, что все же помог хотя бы двум настрадавшимся матерям вернуть их сыновей, неотважных и малодушных, но зато живых.

Из аэропорта нас привезли в Фонд мира на пресс-конференцию. Там долго расспрашивали и фотографировали. На другой день люди на улицах узнавали и поздравляли Андрея и Валерия, которым я показывал столицу. Ее они прежде не видели. Наша экскурсия закончилась традиционно – на Красной площади перед Спасской башней Кремля. Через сутки парни разъехались с матерями по их деревням.

На прощанье Андрей сказал мне, что будет жить в родной белорусской деревне Гречихе и намерен поработать, как и прежде, трактористом. Спустя год он сообщил по телефону, что встретили его односельчане по-хорошему, он женился и ждет рождения первенца.

Валерий перед отъездом из Москвы поделился более амбициозными замыслами. Он спланировал побыть недолго у матери в их житомирском селе, а потом хотел уехать в Киев и поступить в университет на отделение востоковедения. Валерий в плену освоил афганское наречие пушту. Это могло бы, как он рассуждал, поспособствовать его приему в киевский университет. Он задумал выучить арабский язык и потом устроиться на государственную службу за границей.

В те дни резко изменилась и моя жизнь. Начатое мною общественное движение за спасение военнопленных приобрело широкую известность, благодаря чему меня избрали весной 1990 года народным депутатом России, членом Верховного Совета, заместителем председателя парламентского комитета по международным делам. В своем новом статусе я продолжил переговоры о наших пленных солдатах, совершив еще семь путешествий в Пешавар и Кабул.

Мой альтруизм завершился 4 октября 1993 года, когда я лежал на полу под градом осколков раздробленных пулями окон парламентского «Белого дома». Он был охвачен пожаром и дрожал от артрасстрела из танков по приказу Бориса Ельцина.

Так я очутился опять безработным отщепенцем. Вслед за разгромом парламента моя безработица растянулась на 18 недель серой скуки от безделья. И потому запомнилось, как в феврале 1994 года появился в Москве и пришел ко мне домой бывший пешаварский пленник Валерий Прокопчук.

Мы не виделись четыре года. И стали иностранцами по прихоти удельных князьков распавшейся державы. Мне было неизвестно, как сложилась жизнь подкидыша афганской войны на «незалежной» Украине. Приютил ли его киевский университет? Сбылась ли мечта Валеры о студенческой учебе?

Но эти вопросы отпали мгновенно как только Прокопчук переступил порог моей квартиры. На нем была коричневая кожаная куртка и шерстяная черная шапочка, надвинутая до бровей. Под ними вместо знакомых мне глаз я увидел две бесцветные ледышки, какие-то нелюдские и смертельно опасные. Его лицо – нос, скулы, подбородок – заострились тоже угрожающе. Весь его облик был подобен пружинистому силуэту притаившейся рыси перед убийственным прыжком.

Валерий, глядя на меня, понял, что я догадался – кто он такой теперь. Тем не менее я непринужденно пригласил его почаевничать. Моя жена дала нам к чаю хлебный батон, сыр и колбасу. Скудность застолья я объяснил гостю тем, что пока не имею заработка после разгрома российского парламента. Выслушав меня, сотрапезник понемногу разговорился и о своих злоключениях.

Он, по его словам, вернулся из плена в родные края, женился, обзавелся дитятей и потому не смог заняться университетской учебой, так как ради прокорма семьи устроился в охранную частную фирму. Однако затем ему пришлось, бросив жену и ребенка, сбежать из Украины.

– Почему? – спросил я.

– Не поладил с милицией, – проворчал он.

– По какой причине?

– Да так получилось, что я стал боевиком.

– Чьим боевиком?

– Сейчас у братвы в Кировской области.

– А зачем явился в Москву?

– Тут я проездом. Вечером уеду на поезде в Тверь. Там у одного фраера надо мне выбить долг. Потом вернусь с деньжатами обратно в Киров.

Вот так впервые я запросто беседовал за чашкой чая с откровенным бандитом, которого вызволил из афганского плена с наивной надеждой осчастливить этого парня, его мать, их родню и заодно самого себя. Неисповедимы пути Господни! Или проделки дьявола?

Продолжая чаепитие с гангстером, я узнал от него, что он не только, по его выражению, «вышибает долги», но и вдобавок «с кировской братвой воюет против татарской мафии». Насчет количества трупов он не обмолвился. А я полюбопытствовал:

– Орудуешь прибыльно?

– По-разному, – усмехнулся он. – Задания у меня сдельные. Иногда доходные. Иногда копеечные.

– Но ведь ты плохо кончишь! Не лучше ли тебе образумиться?

– Есть такие мысли, – кивнул он. – И планчик уже созрел. Хочу уговорить братву вложить бабки из нашего общака в легальный бизнес – фонд помощи ветеранам афганской войны. Под такой законной крышей нашу малину никто не обложит налогами. А если мой план сорвется, то я слиняю за бугор и вербанусь у французов в их Иностранный легион. Там в первый год службы платят 300 долларов ежемесячно, но зато дальше – 600. Хотя рассказывают, что муштра в легионе очень крутая и за малейшее неповиновение – карцер.

Понапрасну, выходит, я вытащил Валеру из преисподней чужеземной войны. Его влекло туда вернуться и убивать за инвалюту кого попало.

Он сказал перед уходом:

– Если вы, Иона Ионович, встрянете здесь вдруг в новую заваруху с перестрелкой, то я смог бы вам пригодиться.

Моя жена импульсивно вмешалась.

– А вы, Валерий, во время недавнего штурма парламента сражались бы на чьей стороне?

– Ну, это потребовалось бы по-деловому обмозговать, – ответил он уклончиво.

Смысл его ответа был достаточно ясен, ибо я уже видел таких, как он, в треклятый день штурма парламента.

Ранним утром 4 октября 1993 года гулкий залп пулемета размолотил вдребезги оконные стекла моего парламентского кабинета. Я подполз к подоконнику и выглянул наружу. Внизу на мостовой три бронетранспортера харкали пулеметными струями. Перед броневиками лежали на асфальте окровавленные тела безоружных людей. Мертвецов было не менее полусотни.

На панцирях бронемашин сидели необычные штурмовики – одетые штатски мужчины в черных кожаных куртках и спортивных брюках. Они палили из разномастного оружия – короткоствольных карабинов, армейских автоматов, помповых ружей. Неужто, обомлел я, атакуют нас какие-то наемники? Кто они?

Но это выяснилось не сразу. Разгадке предшествовало десятичасовое побоище. Передовых штурмовиков сменили регулярные войска пехоты, мотоартиллерии и танков гвардейской Кантемировской дивизии. Они изрешетили здание парламента, подожгли его, захватили, убили множество противников путча и свезли их останки ночью в подмосковные крематории. А остальных нас пленили, били, допрашивали и снова били.

Из отечественного плена я сумел удрать и спрятался вне дома столь затаенно, что московские газетчики напечатали байку о моем расстреле и даже похоронных поминках. Тогда же разгласила пресса и достоверный факт: начать штурм парламента поручили кремлевские путчисты их спецотряду Союза ветеранов афганской войны во главе со знакомым мне подполковником Александром Котеневым.

Авангардный отряд Котенева был невелик: всего лишь сотня душегубов. Но они обладали уникально-карательным навыком, который отсутствовал у прочих солдат – еще необстрелянных, некровожадных и непривычных к массовым расстрелам гражданского населения. А к этому пристрастились в Афганистане сообщники Котенева. Их приучили безжалостно громить мятежные кишлаки афганцев и убивать там всех подряд без разбора. Таким же показательным палачеством они психически воздействовали на неопытную солдатню, получившую приказ перебить защитников парламента.

Накануне штурма президент Ельцин вызвал командующего московским округом внутренних войск генерала Аркадия Баскаева и высказал ему пожелание уничтожить скопом оборонявших парламент:

– В капусту их всех, в капусту!

После штурма Ельцин подписал указ о награждении соотрядников Котенева медалями «За личное мужество». А потом президент воспретил Генеральной прокуратуре России передать в суд следственное «Дело о расстреле котеневцами 30 пленных».

Это московское эхо афганской войны сегодня предано забвению. У нас не принято на ежегодных слетах афганских ветеранов в Кремле упоминать вслух о грязной изнанке последней нашей советской интервенции. Ее орденоносные генералы и офицеры произносят пафосные речи о былых подвигах, славят почивших фронтовиков, вносят в кремлевский зал боевые знамена, устраивают эстрадные концерты попсовых певцов.

Да и мне до сего дня не хотелось письменно сознаться, что был свидетелем стычки советского спецназа с моджахедами возле города Джелалабада и присутствовал при расстреле четырех пленных афганцев.

Но ведь что было, то было. Не только моджахеды зверски казнили иноземных пленников. Мне известен такой случай: наши армейцы связали пленного моджахеда, заволокли его в геликоптер и выбросили на большой высоте. Офицер-десантник Леонид Паршуков бесстыдно рассказывал, что его подчиненные «мочат» пойманных моджахедов.

Три прихвостня московской команды подполковника Котенева, отвоевав в Афганистане, были арестованы российской милицией за обнаружение у них при обыске коллекции «амулетов» – отрезанных человеческих ушей.

В пору моей первой афганской командировки, в 1981 году, служили в Кабуле два офицера, сделавшие позже головокружительные карьеры. Старший лейтенант КГБ Александр Коржаков был причислен к наиважнейшей группе охраны центра города и развлекался в свободное время волейболом с офицерами дислоцированного в Кабуле советского полка воздушно-десантных войск. А в том полку ВДВ устраивали также еще одно азартное игрище: десантники состязались между собой, дубася кулаками и сапогами пленных моджахедов. Выигрывал тот, кто забивал свою жертву насмерть наименьшим числом ударов.

Командовал кабульским полком ВДВ Павел Грачев. Общавший-ся с ним в афганской столице офицер-генштабист Виктор Баранец ныне рассказывает, что будто бы полковник Грачев собственноручно угробил десяток пленных афганцев.

Еще похлеще отличились Грачев и Коржаков при московском по-громе парламента. Оба уже были генералами. Главный телохрани-тель президента Коржаков подсказал Ельцину как быстрей доконать парламент бронебойным огнем танков прямой наводкой. А министр обороны Грачев взялся лично командовать пальбой танкистов и под-задоривал их матерными выкриками во всю глотку:

– Ну-ка, еб…те туда как следует!

Помню появление Коржакова, когда под конец агонии парламен-та нас пленили спецназовцы КГБ и конвоировали к выходу из горя-щего здания. В те несчастные минуты ликующе-мордатый Коржаков и его дюжие охранники подбежали резво к нашей понурой толпе, что-бы выхватить из нее побежденных руководителей отпора кремлев-скому путчу – Руслана Хасбулатова и Александра Руцкого. Их убе-регло от физической расправы только обилие вокруг них пленных депутатов и солдат-конвоиров. Впоследствии Коржаков проговорил-ся московским газетчикам:

– Я не исполнил указание Ельцина «замочить» Хасбулатова и Руцкого в девяносто третьем году.

Девятилетняя «мочилка» на афганской войне превратила в убийц конечно вовсе не всех ее ветеранов. Но многие навсегда оже-сточились, одичали, прогнили морально.

Повсеместно в наших гарнизонах солдаты крали и продавали ла-вочникам афганских базаров похищенное военное имущество – авто-части, бензин, казарменную посуду, обувь, белье, складские боепри-пасы. Процветали солдатская наркомания и мародерство. Офицеры отсылали домой контрабандные авиагрузы тюков с дубленками, ков-рами, джинсами, мехами для дамских шубок. Политруки талдычили о «нашей интернациональной помощи афганскому народу», однако сами они и другие офицеры воевали за денежную получку так назы-ваемых «чеков», эквивалентных инвалюте.

Один из тех «чековых» политруков, пузатый толстяк, встретился мне в Москве через несколько месяцев после вывода советских войск из Афганистана. Там прослужил политрук лишь пять месяцев в тыло-вых штабах, уволился в армейский запас и занялся предпринима-тель-ством. Деляга изобрел методику паразитирования на госсубсидиях.

Для этого он вовлек подобных ему соучастников закордонного похода в организацию разветвленной сети коммерческих и охранных заведений с финансовой подпиткой из министерства обороны и КГБ.

В период моего московского знакомства с объединителем афганских ветеранов подполковником запаса Котеневым он получил в 1989 году именной пистолет от председателя КГБ Владимира Крючкова. Офицеры КГБ подключились к полувоенизированному бизнесу созданного Котеневым «Союза ветеранов Афганистана» (СВА).

Это вроде бы добродетельное сообщество взаимопомощи опекали также министр обороны Язов и его заместитель генерал Валентин Варенников. Незадолго до безуспешного мятежа ГКЧП маршал Язов сболтнул неосторожно столичным журналистам:

— Мне нужны люди, которых я в любое время суток смогу за час поставить под ружье.

Таково было изначально подлинное предназначение «Союза ветеранов Афганистана». Но им не успели воспользоваться нерасторопные и бестолковые зачинщики ГКЧП. Крючков, Язов, Варенников в августе 1991 года очень быстро угодили в тюрьму, а их выкормыш Котенев моментально переметнулся к новым хозяевам Кремля.

Боевитая дружина СВА понадобилась ближайшему помощнику Ельцина – государственному секретарю Геннадию Бурбулису. Он предвидел смертоносную развязку конфронтации царевластного президента с парламентской оппозицией. Бурбулис загодя пригрел Котенева и назначил бывшего политрука «советником правительства Российской Федерации». Это знаковое событие диагнозировала верно в 1992 году московская «Независимая газета»: Ельцин обзавелся прозапас «афганской королевской ратью».

Год спустя рать умельцев «мочить» по-афгански возглавила штурм нашего парламента.

«Мочили» они своих земляков не за президентские медальки, за валютный бакшиш с колоссальной предоплатой. Ельцин, с подачи Бурбулиса, издал в 1992 году президентский указ № 362 о безвозмездном снабжении котеневского СВА сырьевыми товарами на экспорт. Первая порция кремлевской взятки Котеневу состояла из 150 тысяч тонн нефтепродуктов и минеральных удобрений, 40 тысяч кубометров лесоматериалов, 10 тысяч тонн цветных и черных металлов.

Все эти тысячи тонн общенародного достояния Ельцин преподнес своим афганским опричникам для продажи иностранцам без вычета налогов, таможенных пошлин и без рублевой обналички инвалютой прибыли. В итоге только первая подачка Ельцина котеневцам обогатила их на 50 миллионов долларов.

А после штурма парламента Котенев, как обнаружили его дружки, нахапал себе такую гору деньжищ, что испугался зависти собственных компаньонов и укатил от них с капиталом в соблазнительно-заманчивый Париж.

Коварный побег Котенева взбесил московских ветеранов-«афганцев». Но вместе с тем все обошлось бескровно: среди котеневцев угасла склочная грызня из-за дележки уже опустошенной мошны «Союза ветеранов Афганистана».

Бразды правления СВА перехватил в 1994 году без внутренней драчки прежний заместитель Котенева полковник запаса Франц Клинцевич. Он тоже бывший политрук. У него трехлетний афганский стаж. И хотя Клинцевич получил на войне стальную закалку в штурмовых бригадах ВДВ, он продемонстрировал в послефронтовых делах дома бесскандальное спокойствие прозорливого бизнесмена. Клинцевич перенацелил своих «афганцев» на внедрение в прибыльную торговлю ширпотребом. Оттуда потеснили мафиозных рэкетиров силовым напором, но без шумного отстрела.

Через пару лет собратья Клинцевича овладели дюжиной вещевых рынков в столице и Подмосковье. В Москве вещевой рынок близ метростанции «Кузьминки» стал подвластен афганской когорте Клинцевича. Сам он, будучи белорусом, неофициально добился согласия президента Белоруссии на беспошлинную транспортировку западно-европейских изделий для российских барахолок «афганцев».

Однако деловитый тихоня Клинцевич оседлал такого тигра, который уже вкусил людской крови и никак не мог перевоплотиться в смирного вегетарианца. Пока Клинцевич наводил порядок в своем ветеранском союзе, московская милиция арестовала полтора десятка профессиональных преступников – «афганцев». Им инкриминировали заказные убийства, грабежи, уличный бандитизм, захват и пытки заложников с целью вымогательства выкупа, нелегальную распродажу стрелкового оружия, взрывчатки, наркотиков.

Наибольший беспредел учинила свора «афганцев», отделившихся от «Союза ветеранов Афганистана». Раскольники создали и юридически зарегистрировали еще одно ветеранское сообщество под названием «Фонд инвалидов войны в Афганистане» (ФИВА). За этой благостной ширмой сплотилась вперемешку с «афганцами» группировка невоевавших нигде мошенников.

120

Учредители ФИВА выпросили в Кремле государственную лицензию на экспорт промышленного сырья без пошлин и налогов ради якобы помощи армейским калекам. Но тем не досталось почти ничего. Озолотились штабники ФИВА и принялись вместо полюбовного раздела добычи убивать друг друга.

В пиратской битве погибли поочередно три председателя злосчастного «Фонда инвалидов». Одного из них – Михаила Лиходея – похоронили на столичном Котляковском кладбище. Там же уцелевшие лиходейцы устроили коллективные поминки 10 ноября 1996 года, но как только они разлили водку по стаканам, у них под ногами взорвалась мощная мина. Она умертвила 13 человек и ранила 26. Взрыв трех килограмм тротила расшвырял по кладбищу ошметки трупов в радиусе 300 метров и образовал полутораметровую воронку с лужей крови на дне.

Судебное разбирательство кладбищенской бойни затянулось на семь лет. Сперва на скамье подсудимых сидели трое уличенных убийц. Потом их зачем-то выпустили из-под стражи и заново принялись судить единственного минера. Второй тем временем скончался в подстроенной ему автокатастрофе. Третьего поймали позже. Все они ветераны афганской войны.

Подозреваемый убийца Андрей Анохин отслужил в Афганистане бойцом диверсионного спецназа и освоил тогда минную технологию. Он покаялся на предсудебном следствии, что сам заложил на Котляковском кладбище тротиловую мину с дистанционным управлением и взорвал ее.

Анохин назвал заказчиками взрыва двух управленцев «Фонда инвалидов». Первый из них еще до суда был кем-то застрелен, второй – полковник Валерий Радчиков – тоже вскоре погиб. Но полковник незадолго до смерти отверг предъявленное ему обвинение и сказал на суде:

– Из материалов следственного дела мне известно, что Клинцевич еще весной 1996 года знал о готовящемся покушении.

На суде прозвучало также заявление минера Анохина:

– Я работал прежде водителем у председателя «Союза ветеранов Афганистана» Франца Клинцевича и получал пятьсот долларов в месяц.

Однако судьи и следователи не обнаружили ничего, порочащего Клинцевича. Он был, как выяснилось, приглашен поучаствовать в роковых поминках на кладбище, но не пришел туда из-за болезни.

Иначе быть бы и ему, наверное, в могиле. Его ветеранское содружество будто скорпион жалит убийственно само себя.

Взрыв на Котляковском кладбище детонировал цепную реакцию анонимных нападений на приверженцев «Союза ветеранов Афганистана». Неуловимые снайперы подстрелили в северо-восточном округе столицы тамошнего администратора СВА. Другого сотрудника Клинцевича продырявили в Замоскворечье автоматной очередью из подъехавшего к нему и умчавшегося автомобиля.

Вслед за взрывом на московском кладбище какие-то бандиты в провинциальной Пензе тоже решились взорвать двумя гранатами дом председателя местного филиала СВА Виктора Гулузинского. Он выжил. Но пензенская милиция, обследуя его апартаменты, нашла у него под полом замурованный в цементе скелет убитого мужчины. И потому главный «афганец» Пензы был арестован.

Следующий арест обезглавил в Архангельске региональное отделение «Союза ветеранов Афганистана». Председатель объединения архангельских «афганцев» Алексей Пята был приговорен судом к четырехлетней отсидке в тюрьме за криминальное сокрытие доходов от перепродажи спиртных напитков из Молдавии. До этого Пята уже запятнал себя судимостью за хулиганский мордобой, но сумел избежать тюремного наказания. Навострил он пятки и повторно: сбежал, как фокусник, прямо из зала архангельского суда и прятался где-то очень укромно.

В пору побега везунчика Пяты весной 1988 года худшая доля выпала его коллегам в автограде Тольятти. Там словно черт внушил на 13-ый день апреля десятерым заводилам городского «Союза ветеранов Афганистана» собраться в их офисе на улице Юбилейной. Туда к ним вломились четверо автоматчиков и расстреляли в упор безоружных «афганцев». Милицейское начальство Тольятти мотивировало кошмарную расправу тем, что погибшие пытались конкурировать с мафией, которая монополизировала принудительные поборы со всех торговцев автозаводскими «жигулями».

Преступный автобизнес подкосил также в сибирском Томске областное подразделение «Союза ветеранов Афганистана». Его пятеро руководителей были преданы суду за разбой, организацию банды и захват чужого имущества. Томские «афганцы», вооружившись пистолетами, выслеживали владельцев дорогих машин иностранного производства, набрасывались на них в безлюдных местах, избивали и запугивали пальбой, отбирали иномарки. Некоторых богатеев похищали и требовали за вызволение долларовый многотысячный выкуп.

Провинциальные воеводы СВА столь люто разбуянились, что очередной суд над ними в Екатеринбурге привлек туда из Москвы их озабоченного попечителя Клинцевича. К его приезду местные «афганцы» успели последовательно укокошить трех своих же командиров и одного матерого воротилу туземной мафии.

Причина всех убийств была в Екатеринбурге общеизвестна: тамошние лидеры «Союза ветеранов Афганистана» сначала вытурили рэкетиров мафии с крупнейшего в городе вещевого рынка «Таганский ряд», затем обложили рыночных продавцов денежной данью, а ради ее единоличного захвата сразились насмерть и погибли два областных председателя и казначей СВА. Их наследство досталось самому живучему стрелку Евгению Петрову, отвоевавшему в Афганистане пулеметчику.

Прокуратура Екатеринбурга кропотливо расследовала пять лет убойные деяния Петрова, ставшего областным председателем СВА. И, наконец, летом 2000 года его арестовали и отдали под суд. Прокуроры потребовали приговорить Петрова к 11-летнему тюремному заточению.

Прилетевший в Екатеринбург всероссийский председатель СВА Клинцевич публично обелял подсудимого:

— Я давно знаю Евгения и могу сказать, что это очень честный человек.

Судилище «очень честного» пулеметчика продолжалось целый год. Арестованный вместе с ним его пособник – «афганец» Юрий Крестьянников – был приговорен за убийство к восьми годам в тюрьме. Отдельно присудили 17 тюремных лет уволенному заму председателя областного СВА Сергею Ознобихину за убийство им другого маститого «афганца». А заглавного стрелка Петрова отпустили на волю! Почему?

Разъяснение почерпнул я из московских газет: «Перед выборами президента России весной 2000 года Петров стал в Екатеринбурге одним из закоперщиков местного актива послушной Кремлю партии «Единство». Петров энергично поддерживал кандидатуру нынешнего президента. Для этого Петров использовал всю мощь своей организации. Он обеспечил кремлевскому кандидату высокий процент голосов областных избирателей».

В Екатеринбурге прокуратура опротестовала кассационно в Верховном Суде России неправедное освобождение захватчика центрального рынка города. Там, как и раньше, Петров хозяйничал и собирал обильные подати. Разъезжал в импортном «Ауди А-8». Бражничал в шикарных ресторанах. Насмешливо называл протест прокуроров «бесперспективным».

Между тем в Государственной думе России предоставили депутату Клинцевичу на редкость просторный кабинет и примыкающий к нему приемный зал с оконным видом на проспект фешенебельного Охотного ряда. Большинство остальных депутатов размещено в маленьких комнатах с окошками во двор или неприглядные закоулки.

Но ведь Клинцевич не рядовой депутат. Он член президиума Политсовета партии «Единая Россия», заместитель руководителя госдумской фракции правящей партии «Единая Россия», первый зампред думского Комитета по делам ветеранов, глава Центрального совета сторонников «Единой России».

Клинцевич занимает также иные властные посты. И они у него сегодня как бы стартовые ступени карьерной лестницы, ведущей наверх все выше и выше.

Столичные журналисты как-то спросили Клинцевича – за что он воевал в Афганистане, за что сгинули там 14 тысяч наших парней, за что мы непростительно пожертвовали юными солдатами в афганском плену?

– Ни за что, – ответил правдиво Клинцевич. – Это мы теперь понимаем.

Концовка моей афганской эпопеи, сугубо личной, датирована 15 октября 1995 года. В тот день у меня дома задребезжал звонок наружной двери. Приоткрыв ее, я увидел незваного гостя – пешаварского освобожденца из плена Валеру Прокопчука. После его первого прихода ко мне полтора года назад он совершил рассердившую меня пакость, но я все же вновь впустил Прокопчука в свою квартиру.

Ранее он, побывав у меня в предыдущем году, нанес внезапно второй визит через несколько недель. Тогда я оказался в отлучке вне дома, а там находилась только моя жена Валентина. Она сказала Прокопчуку, что меня здесь нет, но он вошел в нашу квартиру, уселся на диване и потребовал дать ему немедленно «взаймы» 300 долларов.

Валентина возразила:

– У нас нет лишних денег. Мы живем без накоплений от получки до получки.

– Есть, значит, у вас наличные бабки, – сказал Прокопчук. – Наскребите для меня 300 баксов. Сейчас. Я тороплюсь. Я должен срочно свалить за бугор. Не хватает 300 баксов на дорожные расходы.

Валентина встревожилась. Пожалела, что впустила в квартиру мафиозника. Сообразила, что мое отсутствие усиливает его настойчивость. Почувствовала, что он твердо намерен добиться своего и без этого не уйдет отсюда.

Она благоразумно отдала ему весь наш недотраченный заработок до последнего гроша – сто долларов и 200 тысяч рублей, недеминированных еще тысячекратно денежной реформой.

И вот украинский «афганец», спасенный мною из плена и обобравший мою семью, заново уселся невозмутимо и привычно на нашем диване. А это позволил я ему из любопытства: чем еще поживиться он приперся? Никакого страха я не испытывал. В четырех шагах от дивана висела декоративная шторка, а позади нее хранился мой пятизарядный помповик.

Порокопчук держался поначалу вежливо:

– Не могу пока, Иона Ионович, вернуть вам свой долг, но обещаю отдать.

Далее последовал его рассказ о том, как он год назад пробрался в Прибалтику, обзавелся там фальшивыми документами для поездки в Германию, а оттуда пересек пограничный мост через Рейн и вступил во французский Страсбург. В этом городе Прокопчук пришел в контору вербовки наемников Иностранного легиона.

Служба в легионе сулила Прокопчуку не только вознаграждение в инвалюте. Французы беспрепятственно принимают в Иностранный легион беглых преступников из любых стран, меняют им имена и фамилии, оберегают от полицейских розысков, арестов, передачи зарубежным органам правосудия.

Иностранный легион насчитывает восемь тысяч солдат и сержантов без французского гражданства. Их рассылают убивать и умирать вдали от Франции в пекле локальных войн африканцев, арабов, сербов, хорватов. Теперь треть легионеров составляют наймиты с уголовным прошлым из европейских отсеков разрушенного «социалистического лагеря».

– Французы не приняли меня в легион, – посетовал Прокопчук. – Забраковали меня из-за повреждения пальцев в кулачных потасовках.

Кости его клешней были действительно искривлены, приплющены и бугрились подкожными шишками.

Отвергнутый французами неудачник, разговорившись у меня на диване, обмолвился лишь вкратце, что он вернулся к германцам и провинился чем-то перед ними. А они его депортировали.

Но все равно он возжелал возвратиться к немцам. И посему заехал в Москву подработать деньжат на новое проникновение в Германию. Ее полиция включила его, однако, в список «нежелательных иностранцев», что понудило Прокопчука запасаться в Москве значительной суммой не только на дорожные расходы, но и на покупку у знакомых ему бандюг в Прибалтике иностранного паспорта на вымышленное имя.

Все это высказав, Прокопчук перешел к цели прихода ко мне. Он пристроился, оказывается, охранником на рынке в Лужниках и ночевал там в сторожке ради денежной экономии. Неуютный ночлег побудил обратиться ко мне с вопросом: не могу ли я подыскать ему временное жилье у какого-нибудь моего приятеля?

– Нет, – ответил я. – Искать тебе жилье я не буду.

Прокопчук насупился. Уставился на меня молча. Потом скривил рот в ухмылке и прошипел:

– Я всегда имею нож наготове.

– И у меня тоже нож в кармане, – огрызнулся я. – Да еще под рукой топор.

Не предупредил о помповом карабине: секретное оружие – наиболее действенное.

Но мы расстались мирно без поножовщины и повторных обоюдных угроз. Как полагаю, навсегда.

Надеюсь, что вывезенный мною из Пешавара беспутный бродяга с чужим именем в чужеземном паспорте все еще жив-здоров, быть может, на свободе или в какой-то кутузке.

Среди нас сотни таких, как он, больны поныне неизлечимо афганской войной. Ее метастазы продолжают гноиться внутри России.

Известный поэт Глеб Горбовский опубликовал 18 марта 2003 года в московском еженедельнике «День литературы» стихотворение «Афганцы» о наших ветеранах афганской войны. Вот шесть начальных строк тех стихов:

Хлебнувшие крови, нюхнувшие трупов,
Они в городок возвращаются – Глупов.
Там ждет их заштатная нищая скука,
С безумной и смертной отвагой – разлука.
Куда им податься? Озвучим их тайну:
В охранники или… в убийцы по найму.

ДОРОГОЙ МОЙ СНЕЖНЫЙ ЧЕЛОВЕК

Когда я был молод и не боялся рискованных приключений, то нередко совершал журналистские командировки в так называемые «горячие точки». Неоднократно был на войне во Вьетнаме, Лаосе, Камбодже, потом побывал не раз на войне в Афганистане, отправился на гражданскую войну в Никарагуа, попал в американскую Южную Дакоту на вооруженное восстание туземных индейцев сиу в 1973 году.

В моей московской квартире сохранился после поездки в Лаос в 1969 году неказистый сувенир – корявый, продолговатый, зазубренный кусок железа. Это осколок американской авиабомбы. Уродливая железяка едва не убила меня в партизанском районе восточного Лаоса, где главенствовала партия местных коммунистов Патет Лао.

В партизанский район Лаоса я выехал на советском вездеходе УАЗике из северовьетнамского Ханоя. Моими спутниками были два лаосца – автоводитель и переводчик с лаосского языка на русский. В пути мы пробыли двое суток и передвигались на юг от Ханоя только по ночам.

В дневное время всю территорию Демократической Республики Вьетнам (ДРВ) бомбили беспощадно американские самолеты. Они прилетали с их авиабаз в Тайланде и с палуб авианосцев США в прилегающем к ДРВ морском Тонкинском заливе.

Все северовьетнамские города, через которые мы проезжали, были превращены бомбежками в руины. Речные мосты были тоже уничтожены, и мы форсировали реки по временным понтонам армии ДРВ. А дороги были испещрены глубокими воронками от взрывов бомб. И наш вездеход медленно лавировал между воронками с выключенными фарами, чтобы не стать мишенью воздушных стервятников.

Американские летчики гонялись над дорогами Северного Вьетнама даже за одиночными автомобилями и расстреливали их из бортовых пушек и пулеметов. Мы ползли ночами по разбитым дорогам с тускло светившими малыми подфарниками УАЗика с открытым верхом.

Ранее в Ханое я добился интервью у президента ДРВ – прославленного Хо Ши Мина. Он принял меня в его столичной резиденции – во дворце бывшего французского генерал-губернатора Индокитая. Престарелый президент курил едкие вьетнамские сигареты и отхлебывал из стакана отечественное пиво. Около часа он говорил об актуальных военно-политических проблемах его страны и затем согласился ответить на вопросы личностного характера.

Хо Ши Мин признался: в молодости он стал коммунистом и примкнул к московскому Коминтерну по той причине, что советское руководство поддержало его стремление выгнать из Вьетнама французских колонизаторов.

Намерение Хо Ши Мина освободить Вьетнам от любых иноземных властей вынудило его также заручиться помощью маоистского Китая. Он даже вступил в переговоры с посетившими его американскими дипломатами и военными, рассчитывая на альянс с США для избавления от французов. Но далее вашингтонское правительство отказалось от взаимодействия с Хо Ши Мином, сочтя его слишком опасным коммунистом. И тогда он полностью сориентировался на Советский Союз.

Хо Ши Мин дал мне понять, что он, коммунист, был прежде всего национальным патриотом.

Такая же национал-патриотическая подоплека коммунизма была у лаосских партизан партии Патет Лао.

На исходе мая 1969 года наш джип-УАЗик въехал наконец в штабное место Патет Лао – зеленотравную тропическую Долину кувшинов. Ее название происходит от расположенных в той долине десятков трехметровых каменных кувшинов, имевших в древности неизвестное сейчас культовое предназначение. Загадочные кувшины были сооружены примерно две тысячи лет назад.

Во время моего пребывания в Долине кувшинов она была вся изрыта ямами от американских авиафугасов. Многие старинные кувшины были разбиты вдребезги. Самолеты США с ревом их моторов и турбин барражировали над долиной и осыпали ее взрывными фугасами и шариковыми бомбами для шрапнельного поражения лаосцев. Каждый день налет следовал за налетом.

Остервенелость американских бомбежек была вызвана тем, что через восточный Лаос и соседнюю Камбоджу тайно маршировали к Южному Вьетнаму сквозь джунгли и горные ущелья тысячи северовьетнамских солдат. Так они просачивались в американизированный Южный Вьетнам на подмогу своим тамошним сторонникам для стычек с войсками янки. Этот военный маршрут американцы прозвали Тропой Хо Ши Мина. И изничтожали северовьетнамцев бомбами, напалмом, химическими веществами.

В Долине кувшинов мне не довелось повидать вьетнамцев. Зато я видел, как во время авианалетов огрызались огнем наземные зенитные батареи. На двух из них я побывал. Зенитки оказались советского и китайского производства. А зенитчики – лаосцы. Они часто гибли. Но иногда сбивали американский бомбовик. И тогда из него катапультировались с парашютами один или пара летчиков. Для их спасения от плена прилетали геликоптеры со спецгруппами десантников. И в окрестностях долины трещала стрельба. Лаосцы обладали автоматами Калашникова.

Долину кувшинов окружали скалистые холмы. В них зияли темными дырами входы в скальные пещеры. Их углубляли партизаны Патет Лао ручными кирками и динамитом. Во время бомбежек пещеры были всеобщим убежищем. В них же и жили. В одной из пещер прятался и я.

Знойным майским днем в минуты начала очередной бомбежки я вбежал во вход своей пещеры. А от нее в сорока метрах грохнулся смертоносный фугас. За секунду до взрыва я успел упасть в начале пещеры за искусственный полутораметровый защитный барьер из цемента. Комья земли и осколки бомбы пронеслись надо мною, ударились в боковую стенку пещеры, и некоторые из них отскочили рикошетом в мою сторону.

Однако я, везунчик, остался невредим. Меня только немного засыпало землей и сорвало с лица очки воздушной волной от взрыва. Очки, к счастью, оказались целы. Безнадежно поврежден был лишь мой китайский термос с питьевой водой. Термос, прикрепленный к моему поясному ремню, был проткнут вонзенным в него осколком бомбы. Осколок был на ощупь настолько раскаленным, что я вытащил его из термоса, обернув полотенцем. Осколок чуть не протаранил меня.

После этого инцидента я вспомнил мой мирный московский дом и жену Валентину. Разлука с ней показалась несуразной и неразумной. Возможность подохнуть ни за что в чужом краю почудилась мне дурацкой глупостью. Это был, конечно, краткий момент малодушия. Но что было, то было.

За неделю моего житья в Долине кувшинов я побывал в пещерном госпитале для раненых партизан, в пещерном училище для молодежи, в пещерной типографии и в пещерной радиостанции, в персональных пещерах двух вожаков Патет Лао. Везде велись разговоры, естественно, о войне и политике. Все это пригодилось мне для корреспонденции из Лаоса.

Помимо войны и политики меня интересовала также еще одна лаосская экзотическая тематика. Ее нащупал и мой ханойский приятель – корреспондент газеты «Правда» Иван Щедров. Он прежде, чем я, был в партизанском Лаосе и прошел с вьетнамцами по боевой Тропе Хо Ши Мина. Щедров ознакомил меня в Ханое с его репортажной книжкой «На партизанских тропах Лаоса», в которой я вычитал такую информацию:

«Во время перехода я услышал от воинов-носильщиков рассказ о «лесных людях» – тропических двойниках нашумевшего в свое время «снежного человека». Лесные люди обитают, судя по рассказам очевидцев, на склонах Длинного (Аннамитского) хребта в Среднем и Нижнем Лаосе.

Что же известно об этих лесных людях – тхак тхе? Руки у них длиннее, чем у человека. Тело густо покрыто бурой шерстью. На лицах, за исключением бороды, растительности нет. Питаются добытыми клубнями и плодами. Живут по одной – две семьи. Не знают, что такое огонь. Ходят несколько согнувшись. Отлично лазают по деревьям. Между собой «разговаривают» какими-то гортанными криками.

Интересно, что рассказы о лесных людях мне пришлось слышать и по ту сторону Длинного хребта от южновьетнамских партизан. Записал в Южном Вьетнаме такие же истории и мой друг, австралийский журналист Уилфред Бэрчетт».

С Бэрчеттом я виделся в Москве только один раз. Он был коммунистом. Тем не менее его увлекательные репортажи печатали в Англии газеты «Таймс» и «Дэйли экспресс». В США он тоже публиковался в журналах левого толка. Но более всего он был популярен в советской прессе. В 1965 году я приобрел его изданную на русском языке книгу «Война в джунглях Южного Вьетнама». В той книге с подзаголовком «Репортаж» Бэрчетт цитирует своего проводника по джунглям и горам Тропы Хо Ши Мина вьетнамца Чан Динь Миня:

– В 1949 году, – начал свой рассказ Чан Динь Минь, – мне поручили обследовать пограничный район Дак-Лак. Я работал и в уезде Дак-Мил, где находятся непреодолимые на первый взгляд горы. Я включил в мою небольшую экспедицию несколько человек из племени мнонг. И мы отправились в горы. Они поросли густым девственным лесом. В горах было полным-полно диких зверей – тигров, пантер, волков, оленей разных видов.

– Мы шли по горной гряде несколько дней, и, когда достигли ее самых диких и каменистых мест, я, к удивлению своему, обнаружил на песчаной почве между камнями отпечатки человеческих ног! Целые недели не встречалось и признаков человека. А тут вокруг оказалось множество следов, что привело меня в полное замешательство. В течение нескольких дней мы шли по самым свежим из найденных нами следов и однажды утром услышали звуки, похожие на птичье щебетание. Затем в находившихся поблизости пальмовых зарослях раздался шум: кто-то бегом выбирался из чащи.

— Мы снова пошли по следам, и они привели нас к пещере, где мы нашли сильно напуганное существо мужского пола, совершенно нагое. Тело его покрывали густые черные волосы. Длинные волосы падали с головы на плечи.

— Существо забилось в угол пещеры. Хотя мы всеми способами старались показать ему, что не имеем дурных намерений, оно было явно охвачено ужасом. Мои спутники обратились к нему на своем языке, а я перепробовал все известные мне наречия, но никакого ответа, за исключением нескольких звуков, выражавших испуг и похожих на птичий щебет, который мы слышали раньше, не получили.

— Мы решили привезти свою находку на нашу базу. Существо смотрело, как мы ели рис, но само к нему не прикасалось. Мои спутники сказали, что слышали, будто эти «существа» питаются листьями пальм, среди которых мы обнаружили нашего пленника. Тогда мы срезали несколько пальмовых листьев, и наш пленник съел их сырыми.

— Он очень боялся нас и при каждом звуке начинал дрожать. На привалах приходилось его связывать, а во время переходов привязывать веревкой к одному из нас. Мы доставили его целым на нашу базу, но там никто не мог понять ни звука из его птичьего щебета. В местности, где находилась база, таких пальм, которыми эти существа питались, не было. Поэтому мы решили отвезти нашего пленника обратно. Но, к нашему глубокому сожалению, он умер. И мы похоронили его на базе.

Этот сокращенный мною отрывок из книги-репортажа Бэрчетта — самые детальные показания очевидца «лесного» или «дикого человека» в Индокитае, «тхак тхе» по-лаосски.

Еще во вьетнамском пути из Ханоя в Лаос я сугубо неофициально расспрашивал о тхак тхе сопровождавшего меня лаосского переводчика по имени Фели. Он сказал:

— Я родом из Нижнего Лаоса и там слышал о существовании тхак тхе. Они очень сильные и дикие. Это полулюди. Речи не имеют. Только издают звуки. Вообще-то их очень мало. Они обитают на юге нашей страны близ границы с Камбоджей.

Потом в Долине кувшинов, в пещере председателя комитета народного образования Патет Лао, пожилой Чоинламани Оутама тоже кратко ответил на мой вопрос о тхак тхе:

— Тхак тхе небольшого роста. Похожи на обезьян. Тело покрыто шерстью. Ходят на ногах. Речи у них нет. Общаются звуками. Примерное место их обитания — район Хунгса на юге Лаоса. Это поблизости от городка Саравам, на лесном плато Боловен.

В Долине кувшинов опекавший меня член партийного руководства Патет Лао и директор партизанского информационного агентства Сисане Сисана как-то вечером за нашим совместным ужином прервал свои политические речи и удовлетворил мое любопытство насчет тхак тхе:

— Да, тхак тхе существуют. На нашем юге. В местах южнее Саравана. Это в районе 16-ой параллели. Тело тхак тхе покрыто шерстью. Речью не владеют. Вместо нее — сигнальные звуки. Руки от кисти до локтя так тверды, что ими можно сбивать крупные растения. Рост небольшой. Мне рассказывал однажды заместитель председателя нашего Центрального Комитета товарищ Ситон Коммадан, что он, будучи родом с юга, увидел в юности у водоема, как двое детенышей тхак тхе забавлялись с буйволом. После чего они скрылись в лесных зарослях. У товарища Коммадана было ружье, но он не выстрелил: очень уж тхак тхе напоминали людей. Впрочем, не все у нас так гуманны. На юге говорят, что мясо тхак тхе весьма вкусное. На них иногда охотятся.

Подобные сведения о тхак тхе сообщили мне также еще трое авторитетных деятелей Патет Лао. И указали то же самое место обитания тхак тхе — джунгли на южном плато Боловен. Но эта территория была для меня недостижимой.

Для ловли тхак тхе потребовались бы большие деньги на организацию экспедиции. Необходимо было нанять лаосских проводников, следопытов, носильщиков грузов и отряд охранников числом не менее армейской роты. Да к тому же мое московское редакционное начальство наверняка не одобрило бы в принципе авантюрную затею. Не за тем меня послали на войну в Лаосе.

И я вернулся в Ханой, а оттуда улетел в Москву.

В американской зоне Лаоса

Через несколько месяцев меня снова командировали на войну в Лаосе. Но в ином направлении. Я долетел с авиапересадками до лаосской столицы Вьентьяна. Там безраздельно господствовали американцы. Их скопилось во Вьентьяне около семи тысяч. Это были армейские офицеры, спецназовцы «зеленые береты», сотрудники ЦРУ, летчики, многочисленные военные атташе, административные эксперты.

Они содержали во Вьентьяне на тысячи долларов марионеточное лаосское правительство и его слабосильное воинство. Посол США во Вьентьяне Макмарти Годли самолично регулировал бомбежки партизанской Долины кувшинов и других форпостов Патет Лао.

Мне поставили задачу подробно описать факты военного вмешательства Соединенных Штатов во внутренние конфликты лаосцев.

Приземлившись во Вьентьяне, я в тот же день устроился на постой в городской гостинице «Констеласьон». В этом отеле обосновались многие иностранные журналисты и выдававшие себя за газетчиков приезжие разведчики из разных закордонных спецслужб.

Тенистый бар отеля был ярмаркой обмена слухами и фронтовой информацией. Любого новичка бара знакомили со старожилами и встречали стандартным вопросом:

– Any good story?

Это означало по-русски примерно вот что:

– Имеешь хорошенькую новость?

Помню завсегдатая бара – рыжего, румяного от жары, моложавого американца Тимоши Оллмэна, корреспондента англоязычной газеты «Бангкок пост». Помню многоопытную мисс Харриган из американского журнала «Нью Рипаблик». Помню курчавого парня из английской «Санди экспресс». Помнится и прочая братия «Констеласьон».

Отелем владел и был в нем главным менеджером густоволосый брюнет мсье Морис, помесь француза с китаянкой. Мсье Морис был также очень удачливым и богатым финансистом. Его даже приглашали, как мне говорили, на некоторые совещания министров лаосского правительства.

Хозяин отеля говорил на нескольких языках и состоял, по-моему, осведомителем полудесятка разведслужб. Мсье Морис и его гостиница запечатлены в одном из шпионских романов маститого английского сочинителя детективов-бестселлеров Джона Лекарре, ветерана британской контрразведки.

С мсье Морисом я сразу решил установить доверительные отношения и посему сходу вручил ему типично русский сувенир – бутылку московской водки. Мой подарок мсье Морис воспринял благожелательно и сказал:

– Я дам вам недорогую приличную комнату и рекомендую взять одну из наших отельных девушек.

– Спасибо, – ответил я, – но девушки мне не надо.

– Вы зря тревожитесь, – возразил он. – Наши девушки не имеют венерических заболеваний. Девушки проходят регулярно медицинские обследования.

– Все равно обойдусь без девушки, – упорствовал я.

– Вы можете пожалеть о вашем отказе, – продолжал мсье Морис. – Грязные уличные проститутки прознают, что вы не имеете постоянной девушки, и примутся вас осаждать. Они очень заразные.

Тем не менее я стоял на своем, и мсье Морис прекратил наши пререкания. Впоследствии я понял, что он по-настоящему заботился обо мне.

Остаток дня я провел в посольстве СССР во Вьентьяне. Его дипломаты приветливо встретили визитера из Москвы и охотно поделились со мной своими познаниями о различных интригах американцев в лаосской столице. Ко мне проявили столь теплое гостеприимство, что дали мне безвозмездно пользоваться их служебным зеленым вездеходом без крыши или тента. Он походил на американский военный джип, что мне позже оказалось кстати.

Поздним вечером я возвратился к гостинице. Рядом с ней на пустыре запарковал джип и зашагал к входу в отель. И тут внезапно на меня набросились четыре уличные проститутки. Вид у них был пугающий – тощие, наверное, от голода, темнокожие, одетые в какое-то нищенское тряпье.

Они вцепились в меня со всех сторон и принялись ощупывать своими черными клешнями мои карманы. Секс явно не интересовал их. Им нужны были деньги.

Я схватился одной рукой за мой брючный карман с кошельком, а второй рукой пытался сбросить с себя облепивших меня тварей. Они подняли громкий визг и продолжали висеть на мне как восьмилапый вонючий спрут. Мы завертелись на улице волчком, но я все же продвинулся к парадной двери отеля.

И там я с ужасом увидел, что дверь отеля закрыта и загорожена ночной решеткой жестяных жалюзи. Все же на мое счастье два сторожа гостиницы услышали истошные вопли перед парадной дверью, открыли ее, распахнули металлические жалюзи и опознали во мне белокожего постояльца.

На пороге входа в отель уличные проститутки отцепились от меня, и я ввалился в «Констеласьон» – всклокоченный и вспотевший, но не ограбленный. Так я осознал, что мсье Морис был прав, когда навязывал мне временную подругу.

А уличные проститутки тоже кое-что усвоили относительно меня и больше не приставали.

Тем временем из всех американских объектов во Вьентьяне меня больше всего интересовала засекреченная авиакомпания «Эйр Америка». Она была создана Центральным разведуправлением США и руководилась только ЦРУ и главным штабом в Вашингтоне.

Десятки самолетов «Эйр Америки» базировались во Вьентьяне в пригородном аэропорту Ваттай. Там за кирпичной оградой был специальный аэродром «Эйр Америки». Ограда имела ворота со шлагбаумом и охрану ворот из наемных лаосцев в синей униформе. Я подъехал туда на своем зеленом джипе и нагло подкатил вплотную к шлагбауму. В тот же миг стражники-лаосцы подняли шлагбаум и даже отсалютовали мне поднятием правых рук к виску. Меня приняли, как я и рассчитывал, за белокожего американского пилота.

На аэродроме я увидел взлетно-посадочную полосу и россыпь одноэтажных строений без окон. В тех одноэтажках, как я ранее проведал, были склады стрелкового оружия, боеприпасов и мешки с рисом. На летном поле стояли десятки двухмоторных самолетов «Карибу» с вздернутыми вверх хвостами для посадок и взлетов на коротких сельских площадках. «Карибу» были загримированы зелеными и желтыми пятнами под цвет джунглей. Я рассмотрел также несколько вертолетов и армейских моторных С-46, С-47, С-130. Все авиамашины не имели опознавательных знаков.

В расположении «Эйр Америки» я обнаружил кафетерий для летчиков и вошел внутрь. Сел за пустой столик, заказал бутылочку кока-колы и бифштекс. Рядом за другими столиками группировались белокожие пилоты с загорелыми, обветренными физиономиями. На летчиках были светлые рубашки с короткими рукавами и голубоватые брюки. Никто не носил военную форму. Некоторые имели на головах обычные бейсболки или ковбойские шляпы.

Я дважды посещал аэродром «Эйр Америки» и тамошний кафетерий. Наблюдал за взлетами и посадками самолетов ЦРУ. Прислушивался к разговорам пилотов в кафетерии. Но больше всего сведений об «Эйр Америке» почерпнул от западных коллег-журналистов в баре моего отеля и от дипломатов нашего посольства.

Летные экипажи «Эйр Америки» были навербованы спецами ЦРУ в качестве штатских наемников из пилотов разных стран – американцев, англичан, французов, новозеландцев, австралийцев и так далее. Воздушным наемникам было предписано доставлять, невзирая на наземный огонь по ним бойцов Патет Лао, американское оружие, боеприпасы, мины, мешки риса, одежду, одеяла и медикаменты горным племенам лаосцев мео. Этих мео ЦРУ науськало на войну против партизан Патет Лао.

С давних времен горцы мео враждовали с равнинными лаосцами. Мео отличались от большинства лаосцев тем, что не были буддистами. Мео поклонялись их языческим божкам-духам и подчинялись влиятельным племенным шаманам. В годы восстания народностей Индокитая против французских колонизаторов мео служили французам. А тех сменило ЦРУ. Оно сформировало из мео десятитысячное войско во главе с племенным вождем генералом Ванг Пао.

Генерал мео Ванг Пао был храбрым воякой и одновременно вороватым тираном. Он присваивал часть американских денежных выплат рядовым воинам мео. А когда кто-либо из них роптал по этому поводу либо осмеливался еще как-то перечить Ванг Пао, то он выхватывал пистолет и сразу убивал критикана. Все это было известно ЦРУ, но оно ни разу не приструнило своего военного пособника.

Кроме того Ванг Пао и его офицеры грузили в самолеты обратных рейсов «Эйр Америки» тонны опиума. Это зелье выращивали мео на горных террасах с незапамятных пор. Во Вьентьяне опиум не был под государственным запретом. Его перерабатывали в героин и развозили контрабандой самолетами в таиландский Бангкок, южновьетнамский Сайгон, англоколониальный Гонконг. А далее в Европу и США. Такое происходило с явного ведома ЦРУ.

Во Вьентьяне летчиков ЦРУ связывал контрактный обет молчания. Наемники получали по пять тысяч долларов в месяц. Больше, чем пилоты ВВС Соединенных Штатов. Летуны ЦРУ любили носить увесистую нагрудную цепь из золота и большие золотые браслеты. Они жили в свое удовольствие, веселились в ночных притонах со стриптизом, развлекались с молоденькими лаосками по цене в десять долларов за проститутку.

ЦРУ категорически запретило пилотам «Эйр Америки» якшаться с журналистами. Поэтому я замыслил трюк. Будучи на летном поле «Эйр Америки», заприметил там барак с окнами. Это оказалось служебным помещением авиакомпании. На внутренних стенах были расписания вылетов самолетов, списки экипажей, сводки о погоде. За деревянной стойкой сидел белокожий мужчина. Я его спросил:

– Могу ли я купить билет на самолет «Эйр Америки»?

– Какой билет? – удивился служащий. – Мы такими делами не занимаемся. Если у вас есть право на полет с нами, обратитесь в авиапассажирское отделение Агентства международного развития США во Вьентьяне.

Он, не зная, кто я такой, проводил меня изумленным взглядом.

Пришлось ехать в центр Вьентьяна к высокой Арке Монумента мертвых, где рядом находилось двухэтажное здание Агентства международного развития США (USAID). Сие госучреждение трудилось в Лаосе на пару с ЦРУ, нагружая самолеты «Эйр Америки» продовольствием и бытовыми товарами для армии мео генерала Ванг Пао.

В офисе USAID меня направили в транспортный отдел. Там множество клерков шелестели бумагами на столах, сновали с какими-то документами, стучали счетными машинками. В застекленном отсеке важно восседал за столом пожилой американец с каменным лицом. Это был начальник отдела мистер Отис Маккол. Ему я изложил свой предыдущий разговор с администратором аэродрома «Эйр Америка».

– Так что вы хотите купить? – переспросил м-р Маккол, – цыпленка?

Американец вскинул брови, перепутав английское слово «тикет» с «чикен».

– Не цыпленка от вас хочу, а билет! – растолковал я.

– Да разве мы торгуем билетами на «Эйр Америку»? – еще более опешил Маккол.

– Кто же торгует?

– А вы кто такой?

– Журналист из советского журнала «Нью таймс».

Тут Маккол вовсе застыл от неожиданности. Потом поманил пальцем какого-то чиновника в очках, пошептался с ним и вымолвил:

— Идите со своим вопросом к мистеру Остатаг, заместителю директора.

Однако Остатага не оказалось в его кабинете. Там вместо него была рыжеватая секретарша, пожелтевшая от лаосского малярийного климата. Она сказала:

— Мы никогда не торговали и не продаем билеты на «Эйр Америка». Делается все иначе. Да вас и не подпустят к авиакомпании. Впрочем, сходите в информационную службу США, к мистеру Эндрю Газовски, представителю для работы с корреспондентами. Быть может, он скажет, что надо предпринять…

И я поехал в службу USIS, обосновавшуюся в двухэтажном белом доме возле кинотеатра «Лан Санг». Эндрю Гузовски, молодцеватый бородатый блондин с выправкой строевого офицера, принял меня на втором этаже в кабинете, где полусонно скучал на диване еще один посетитель — знакомый мне по «Констеласьон» корреспондент газеты «Вашингтон стар».

Гузовски на мою просьбу об авиабилете отчеканил:

— «Эйр Америка» берет на борт только грузы и представителей здешних американских учреждений. Пассажиры — только американские должностные лица! Других не берем. Билетов вообще нет. Их нет, понимаете?

Гузовски криво усмехнулся. Насмешливо ухмыльнулся и газетчик «Вашингтон стар». Я напоследок сказал:

— Значит, нельзя?

— Нельзя.

— Ну, тогда прощайте.

Не забыл я во Вьентьяне и о лаосском тхак тхе. По этому вопросу первым моим собеседником был старый профессор Пьер Ломчин Нгин, лингвист и краевед. Он жил в бунгало, сбоку городской площади с фонтаном посредине. Мы разговаривали в полутемной комнате, спасавшей от жары. Нас окружали старомодные кресла, этажерки с пыльными книгами и папками, на стенах — картины китайских пейзажей и обрамленные научные дипломы профессора. Нгин говорил затрудненно:

— Я много слышал о тхак тхе на юге Лаоса. Но сам их не видел. О них писали уехавшие отсюда из-за войны французские ученые. Я советую вам подробнее поговорить о тхак тхе с моим давним другом и почтенным ученым Кхамфао Фонека.

Этого лаосца я нашел в трехэтажном доме министерства образования. Начальник отдела начального образования Кхамфао Фонека, мужчина средних лет, был облачен в чиновничий мундир с погонами. Он сказал, что по профессии – историк, учился во Франции, побывал однажды в Москве и сохранил о ней хорошие воспоминания. Насчет тхак тхе Фонека высказался так:

– Да, я слышал немало о тхак тхе, когда объезжал деревни в округе города Сараван, к югу от лесистого плато Боловен. Рассказывали о тхак тхе не только крестьяне. Мне говорил о тхак тхе и армейский полковник по фамилии Самлан. На водопое местной речки полковник наткнулся на целый десяток тхак тхе. Они были покрыты густой шерстью. Перекликались пронзительными криками. Полковнику захотелось захватить хоть одного из них, застрелить. Но он не смог убить тхак тхе, похожего уж очень на человека. И вскоре эти существа убежали на своих ногах.

Заключительные и плохие новости о тхак тхе я получил от дипломатического представителя Патет Лао во Вьентьяне полковника Сота Петраси. Он жил и работал в небольшом доме, который плотно окольцевали патрули солдат лаосской проамериканской армии. Вдобавок дом Петраси оцепили высоким железным забором. Вход во внутрь был строго запрещен простым лаосцам. Меня пропустили через калитку лишь потому, что я был похож на белокожего янки и размахивал перед неграмотными солдатами своим журналистским удостоверением.

Полковник Петраси угостил меня душистым чаем и завел, понятно, разговор про бесконечную войну. На мой вопрос о тхак тхе он ответил:

– Я давно уже наслышался об этих человекоподобных существах на юге Лаоса. Их случайно обнаруживают в джунглях вокруг города Сараван на плато Боловен. Сейчас этот дикий край – эпицентр кровопролитных боев между нашими патриотами Патет Лао и наемниками американцев. Если вы сунетесь теперь туда, то вас вне сомнения убьют.

Гималайский йети

Мои расспросы в Лаосе про тхак тхе были побочным занятием в деле поиска снежного человека с конца 50-х годов. Тогда я примкнул к небольшой группе добровольных энтузиастов розыска мифического «сноумэна» на безлюдных высокогорьях у южных границ Советского Союза.

Поначалу снежный человек стал для меня как бы кислородной отдушиной в моей работе во внешнеполитическом журнале «Новое время». Там я прослужил 17 лет. И все те годы любая сколь-нибудь значительная статья журнала посылалась на тщательную инспекцию чинушами Министерства иностранных дел СССР или в отдел пропаганды ЦК КПСС.

Вдобавок, в здании нашего еженедельника сидел в отдельном кабинете уполномоченный цензор Главлита. Придирчивый цензор въедливо проверял каждый выпуск «Нового времени» от первого слова до последнего. Немудрено, что у многих опытных сотрудников журнала постепенно нарождался в мозгах свой «собственный цензор». В итоге содержание «Нового времени» чаще всего оказывалось официозной скучнятиной.

А вот группа поисковиков снежного человека никому не подчинялась официально. Она не была антисоветской. И потому ее участников не трогала контрразведка КГБ. Во главе группы стояли профессор Московского университета Борис Федорович Поршнев и этнограф Жанна Иосифовна Кофман.

Поршнев был главным авторитетом среди искателей снежного человека. Профессор, будучи историком-францеведом, издал о снежном человеке не менее полутора десятка научных книг, трактатов, статей. Поршнев называл снежного человека «реликтовым гоминоидом» – человекообразным существом, отставшим в человеческой эволюции и уцелевшим от истребления в труднодоступных высокогорных лугах и кустарниках.

Теория Поршнева казалась мне правдоподобной. Ведь в островной Австралии выжили ее темнокожие аборигены, отставшие в своем развитии от современных людей на тысячи лет. В непролазных дебрях верховьев реки Амазонки существует в лесной изоляции малочисленное племя корубо – кочевников каменного века, не носящих никакой одежды.

В тропических джунглях центральной Африки обитают дикие пигмеи на стадии первобытно-общинного строя, без знания способов добычи огня. В островной Новой Гвинее водится в зарослях племя каменного века – короваи, которые ютятся на деревьях, на 30-метровой высоте, в плетеных гнездах-хижинах. Есть еще несколько подобных племен – тупиковых ветвей возникновения человека.

Перечисленные дикари всячески прячутся от иных двуногих существ, так как на протяжении долгих веков полулюди и уже люди безжалостно охотились друг на друга и пожирали убитых. Это неопровержимо доказано наукой. Наши европейские предшественники – неандертальцы и кроманьонцы! – были каннибалами. Их лакомой пищей были иноплеменники.

Вот почему «реликтовый гоминоид» профессора Поршнева прятался столь высоко в горах, у кромки вершинных снегов, где находили иногда альпинисты отпечатки его массивных пятипалых стоп, сильно превышавшие человеческие следы.

Теоретические публикации Поршнева приобрели известность в научных кругах, но от него потребовали материальных доказательств. Однако организовать дорогостоящую экспедицию в зарубежные Гималаи Поршнев не смог: не было у него ни крупных денег, ни помощи от хозяев Академии наук. Сумел только он в 1964 году поехать самостийно с кучкой помощников в кавказскую Абхазию, на раскопки могилы самки якобы снежного человека в ауле Тхина.

Жители Тхины рассказывали, что к ним привезли в 1880 году из другой местности на южном склоне Кавказского хребта дикое существо женского пола с темно-серой кожей, покрытой по всему телу черно-рыжей шерстью. Диковинку доставили в сетях, которые затем сняли, а вместо них посадили волосатую самку на цепь в сарае из мощных стволов деревьев. Пленница не сопротивлялась. Говорить она не могла, лишь мычала, свистела или рычала. Ела коренья и траву. Прозвали ее Заной.

Зана не проявляла какой-либо агрессивности. С нее сняли цепь и позволили выйти из сарая. Она ушла в лес, побродила там неделю, а потом вернулась в аул. Зану пытались облачить в одежду, но ее она сбросила и больше ничего подобного не носила. Спала круглогодично в яме на соломе.

Со временем Зана привыкла к людям и даже научилась пособлять им по хозяйству. Носила легко на речную мельницу тяжеленные мешки с зерном, вертела ручные жернова, приносила воду из ручья в большом кувшине.

Зана умерла в 1889 году и была закопана в безымянной могиле на кладбище аула. Профессор Поршнев и его единомышленники, приехав в аул, задумали раскопать могилу Заны и передать ее кости на исследование антропологам: принадлежат ли останки «реликтовому гоминоиду»?

Было вскрыто одиннадцать могил. Ни одна из них не содержала останков волосатой Заны. Гробокопательство вызвало недовольство в ауле. Об этом прослышали преследовавшие Поршнева газетчики. Разразился шумный скандал. Невезучему профессору незаслуженно приклеили саркастическую репутацию эксцентричного чудака...

Год спустя я попал в Индию и Непал с туристической группой московского Союза обществ дружбы с народами зарубежных стран. Привлек меня к этому турне не чистый туризм, а возможность посещения Непала с его неуловимым снежным человеком, по-непальски – йети.

Авиапересадку мы сделали в индийском Дели, где провели два дня. В городе было тогда объявлено «чрезвычайное положение». Причина – пограничный конфликт между Индией и Китаем. К северу от Гималайских гор китайские войска захватили обширный район, который индийцы считали своим. Ссора соседей дошла до того, что в Дели опасались китайских бомбардировок. Многие здания госучреждений и банков были защищены с фасадов штабелями серых мешков с песком. Вокруг центрального минарета Кутуб Минар вырыли на зеленой лужайке глубокие траншеи.

В аэропорту Сафдарджанг мое внимание привлекли три настенные оповещения по-английски. Первое – «Национальный фонд обороны», а ниже – ящик с прорезью для денежных пожертвований. Рядом на плакате был изображен мужчина с закрывающими рот ладонями и написано: «Не распространяй слухов». Третье бумажное объявление называлось «Сигнальное предупреждение об авиарейдах» и содержало инструкцию о том, где и как надо прятаться в случае сирены воздушной тревоги.

И вот, наконец, мы взлетаем мирно на устаревшем хлипком «Дугласе» с непальским экипажем. Летим курсом на непальскую столицу Катманду.

Миновав индийские равнины, двухмоторный «Дуглас» низко летит по ущелью-коридору среди поросших редким лесом суровых гор. Ущелье сменяется ущельем, гряда – грядой, и вдруг горы расступаются, открывая взору холмистую долину с россыпью белых, коричневых домиков и островерхих куполов храмов. На севере ослепительно сверкает на солнце гигантская зубчатая стена заснеженных Гималаев.

Еще в Москве профессор Поршнев рассказал мне, как он встречался с гостившим в нашей стране непальским ученым – директором Государственного музея Непала профессором Чандра Ман Маскей. Этот непалец говорил Поршневу, что видел своими глазами мумию мертвого детеныша йети, владельцем которой является один из горожан Катманду. Данная история и заманила меня в Непал.

После прилета в Катманду я на следующее утро отправился в Госмузей Непала. Там собрана богатейшая коллекция археологических находок, картин и старинного оружия. В администрации музея мне сообщили, что, к сожалению, профессор Маскей ушел по возрасту в отставку, но вот его адрес – улица Кхиула Тоул, дом 9/449.

В музее мне любезно предложили провожатого, и вскоре мы с ним углубились в лабиринт узких улочек старого Катманду.

Эти улицы – словно щели: десять шагов в ширину, а по бокам – ряды кирпичных, преимущественно трехэтажных домов с крышами, как у пагод, нависшими над снующими внизу многолюдными толпами.

Стены зданий – темные, прокопченные солнцем, муссонными ливнями и уличной пылью, поднимаемой тысячами ног. Двери домов, наличники окон и решетки многочисленных балконов сделаны из дерева и покрыты тончайшей искусной резьбой. Это деревянное кружево на фоне черно-бордовых кирпичных стен придает фасадам оттенок благородной старины и неповторимого очарования.

На перекрестках высятся небольшие индуистские храмы и буддистские ступы, возле которых молятся, спят прямо на ступенях, бреются и о чем-то спорят десятки пестро одетых людей. Здесь – своеобразная выставка национальных нарядов: тибетцы в черных куртках и палевых меховых шапках, индийцы в белых одеяниях и их жены в голубых, зеленых или розовых сари, непальцы в темных пиджаках и светлых узких брюках, буддистские монахи в желтых тогах.

И тут же, в уличной толчее непринужденно разгуливают буйволы и коровы, вертятся под ногами вечно голодные псы. А в просветах между крыш с пронзительно синего неба жаркое солнце щедро расцвечивает это и без того красочное вавилонское столпотворение.

Мой визит на улицу Кхиула Тоул оказался неудачным: профессор Маскей уехал куда-то по делам. Встретивший меня его взрослый сын сказал, что отец будет дома, вероятно, через день-два, о чем он пообещал сразу же сообщить в отель, где я остановился. Итак, до свидания с профессором Маскеем в моем распоряжении оставалось около двух суток…

За это время я успел лишь ознакомиться с достопримечательностями Катманду и совершить 100-километровую авиаэкскурсию в селение Покхару, расположенное у подножья знаменитой гималайской горы Аннапурны и соседней с ней Мачапучхары. Там я выслушал рассказ местного школьного учителя-европейца о встречах знакомых ему гималайских горцев с йети («диким человеком»). Этот рассказ, в общем-то, ничего не добавил к многочисленным историям о встречах жителей Гималаев с йети, как они называют «сноумэна».

Известно, что больше всего сведений о подобных встречах было собрано в свое время среди непальской народности шерпов, живущих у подножья Эвереста, вблизи мощного гималайского хребта Махалангур Химал, чье название в переводе означает «Горы великих обезьян». В этом районе участники нескольких альпинистских и научных экспедиций неоднократно обнаруживали на снегу и фотографировали длинные цепочки следов какого-то неизвестного крупного человекообразного существа.

В деревушке Пангбоче, в буддистском монастыре хранится в качестве экспоната необычно крупная кисть руки, которая, по мнению ряда известных европейских ученых, «имеет некоторое сходство с рукой неандертальского человека».

За несколько недель до поездки в Катманду я узнал, что непальские войска – всего 13 тысяч солдат – стянуты к горной границе с Китаем. Власти Непала официально запретили «в национальных интересах» какие-либо восхождения на Гималаи, так как некоторые иностранцы, предпринявшие такие восхождения, занимались, оказывается, «недозволенными делами» в этом пограничном с Китаем северном районе страны. Приехав в Катманду, я узнал, что этими «иностранцами» были подданные Соединенных Штатов и Великобритании.

Главный редактор популярной в Катманду газеты «Коммонер» Гопал Дас Шрестха, один из ведущих и наиболее осведомленных непальских журналистов, говорил мне:

– Экспедиции из стран Запада в северные районы Непала, где, как утверждают, можно встретить йети, запрещены из чисто политических соображений. Если все же кто-либо хочет предпринять такую экспедицию, то ему необходимо получить особое на то разрешение от нашего правительства. А такое разрешение получить очень и очень не просто, ибо правительство не заинтересовано сейчас в посещении иностранцами пограничных районов. Собственные же экспедиции Непал пока туда посылать не может из-за недостатка средств...

Действия непальских властей вполне можно было понять и счесть резонными: сравнительно небольшой Непал зажат между двумя азиатскими гигантами, враждующими из-за спора об их границе в Гималаях. Всего лишь в нескольких десятках километров от восточных рубежей Непала неоднократно в 1964 году вспыхивала перестрелка между китайскими и индийскими пограничными частями. Там, вблизи от Эвереста, сохранялась крайне напряженная обстановка, и руководители Непала, естественно, принимали все меры, чтобы не оказаться вовлеченными помимо их воли в индийско-китайскую свару. Но были влиятельные силы, которых такая позиция Непала явно не устраивала.

Осенью 1964 года непальская полиция обнаружила в окрестностях столицы, как объявил тогдашний председатель Совета министров Непала д-р Тулси Гири, «доставленное в Непал контрабандным путем большое количество оружия» – армейские винтовки, патроны и гранаты.

Накануне этой находки непальская газета «Самикша» сообщала, что неподалеку от Катманду полиция задержала группу кочевников, везших к северу большую партию контрабандного стрелкового оружия. Задержанные, как было установлено, получили оружие от «одного иностранца» и действовали по его заданию. «Самикша» информировала, что этот иностранец в 50-х годах был разоблачен как организатор неудавшегося антиправительственного заговора на Среднем Востоке, а ранее оперировал в том же духе в Гватемале.

Вслед за этим газетным сообщением сотрудник посольства Соединенных Штатов в Непале – американец Говард Е. Стоун, организатор в 1957 году неудавшегося путча в Сирии и устроитель заговора против правительства Арбенса в Гватемале, – поспешно убрался из непальской столицы. Его местные сообщники, не обладавшие «дипломатической неприкосновенностью», были арестованы.

Осенью 1960 года знаменитый альпинист Эдмунд Хиллари, первый покоритель Эвереста, снова отправился в Гималаи во главе большой экспедиции на поиски йети, о котором в то время строила бесчисленные догадки вся мировая печать. Но вместо репортажей об охоте на йети газеты стали публиковать сообщения, определенно порочащие репутацию великого альпиниста. В январе 1961 года корреспондент итальянской газеты «Национе» Коррадо Пицинелли телеграфировал из Катманду:

«Хиллари ищет снежного человека, но фактически шпионит за Китаем. Его научная экспедиция в составе 600 человек находится там главным образом для того, чтобы составить точные карты труднодоступного, неисследованного района и установить, верны ли слухи о запусках коммунистическим Китаем ракет, снарядов или искусственных спутников…»

7 июля 1961 года газета «Таймс оф Индия» в корреспонденции из Катманду сообщила аналогичные сведения об экспедиции Хиллари. Но, может быть, это были всего лишь газетные измышления?

Теперь мы можем проверить сообщения прессы по вышедшей в Лондоне книге Эдмунда Хиллари «Высоко в холодном разряженном воздухе», написанной им в сотрудничестве с участником его экспедиции журналистом Десмондом Дойгом, бывшим офицером британских вооруженных сил. На странице 81-й этой повести об охоте на йети в окрестностях Эвереста черным по белому сказано:

«Вместе с нами находились два эксперта по ракетам – Том Невисон из ВВС Соединенных Штатов и выпускник ракетного училища Питер Малгрю из Королевского флота в Новой Зеландии».

На странице 12-й сообщается, что в финансировании экспедиции Хиллари участвовали Военно-воздушные силы Соединенных Штатов.

Далее можно прочесть, что лейтенант Питер Малгрю занимался на китайско-непальской границе преимущественно радиоперехватом. А капитан Том Нависон, «прибывший прямо с мыса Кэйп Канаверал»[1], следил с группой помощников за появлением над пограничными районами Китая различных летательных аппаратов и определял места их «посадочных площадок».

Члены экспедиции поднялись на ряд пограничных горных вершин, не согласовав предварительно свои действия с правительством Непала, и потому Хиллари был позднее оштрафован непальскими властями на довольно крупную сумму. В Катманду были сильно обеспокоены подозрительной прогулкой к Эвересту знаменитого спортсмена, ибо несколькими неделями ранее китайское правительство объявило Эверест «великой китайской горой», и в произошедших затем столкновениях на китайско-непальской грани-

---

[1] Ныне мыс Кеннеди. Испытательный полигон по запуску американских ракет и спутников.

це было убито несколько непальских пограничников...[1]

Ну а как же йети? Похоже, что Хиллари было совсем не до него. Ибо экспедиция сразу же двинулась к китайской границе в заснеженные горы, не пожелав задержаться в районах горных лесов, где, как утверждали сторонники версии о вероятности существования йети, обитает, возможно, это существо. Ученые полагали, что, если «снежный человек» существует, то хотя его и называют «снежным», но жить в снегах он, конечно, не может, а скорее бродит в лесистых предгорьях, питаясь растениями и мелкими животными, и только изредка, переходя из одного места в другое, оставляет следы на снежных оползнях или ледниках.

Эдмунд Хиллари об этой теории отлично знал, но, очевидно, считал щедро оплаченный заказ американских ВВС более важным делом, нежели добросовестные поиски существа, за которым он якобы отправился в Гималаи.

Однако вернуться с пустыми руками Хиллари вряд ли мог, так как тогда за ним бы наверняка утвердилась репутация разведчика, а не исследователя и спортсмена. И вот Хиллари в буддийском монастыре непальского пограничного селения Кхумджунг попросил тамошних лам передать ему на время хранящийся у них «священный» конусообразный скальп, снятый будто бы с йети лет двести назад.

С этим скальпом Хиллари, сопровождаемый невероятной шумихой в западной прессе, вылетел на Гавайские острова, а затем в Соединенные Штаты, Англию и Францию. Повсюду Хиллари раздавал интервью, демонстрировал скальп по телевидению, публиковал статьи в самых популярных иллюстрированных журналах.

В заключение скальп из Кхумджунга был подвергнут экспертизе виднейших ученых и медиков-криминалистов в Чикаго, Лондоне и Париже. Все они единодушно заявили, что представленный Хиллари скальп сделан из куска шкуры, снятой с загривка горной козы редкой породы «Каприкорнис суматренсис тэр», обитающей в Гималаях.

В ответ Хиллари заявил, что йети не существует! И эту весть газеты тут же разнесли по всему свету. Так, «убив» йети и произведя всемирную сенсацию, Эдмунд Хиллари вновь заставил говорить о себе как о великом исследователе и первооткрывателе...

Публичные похороны гипотезы о существовании йети были такими шумными, что широкая публика не услышала двух протестующих

---

[1] По заключенному в 1961 году пограничному соглашению между КНР и Непалом гора Эверест была признана частью непальской территории.

голосов. А между тем два известных ученых, обследовавших волосяной покров фальшивого скальпа из Кхумджунга, открыто обвинили Эдварда Хиллари в «мошенничестве». Выдвинувший первым это обвинение американский биолог Айвен Сэндерсон пишет в своей монографии о «сноумэне», что хотя Хиллари объявил доставленный им скальп «бесценной религиозной реликвией», которую он якобы обязался вернуть ламам Кхумджунга в полной неприкосновенности, тем не менее от скальпа было отрезано 20 квадратных сантиметров для лабораторных исследований в Чикаго, а затем еще дважды отрезались такие же куски в Париже и Лондоне. Сэндерсон заявил, что скальп, хотя и хранился в монастыре, но не был «неприкосновенным» и, стало быть, не был «священным», а Хиллари это давно знал столь же хорошо, как и то, что скальп изготовлен из шкуры козы.

В подтверждение этого вывода бельгийский зоолог д-р Бернар Эвальманс сообщил целый ряд фактов в парижском журнале «Сьянс е авенир». Ученый напомнил, что точно такие же по виду «скальпы йети», как привезенный из Кхумджунга, хранятся в монастырях двух соседних гималайских селений – Пангбоче и Намче Базар. Причем многие путешественники, осматривающие скальп в Намче Базаре, без труда различали на нем грубые швы – свидетельство того, что этот предмет сшит из различных кусков и уже хотя бы поэтому не является скальпом.

Бернар Эвальманс далее пишет:

«Мой друг Питер Бирн, участник нескольких экспедиций Тома Слика в Гималаи и хороший знаток тех мест, писал мне 24 января 1961 года: «В Северном Непале общеизвестно, что скальп в Кхумджунге – подделка, изготовленная одним тибетским кожевником лет 12-15 назад». И это знали не только ламы, но и некоторые тамошние сельские жители, а также шерпы из окрестных деревень. А потому нет сомнений, что Хиллари был вполне в курсе дела задолго до того, как организовал свою экспедицию. Он давно знал абсолютно точно, что скальп фальшивый. Но разве уверены мы, что экспедиция Хиллари преследовала цель отыскать «сноумэна»? Я в этом сильно сомневаюсь и всегда сомневался. Что делали в этой экспедиции эксперты по ракетам, следившие за деятельностью китайцев по ту сторону гималайского хребта? Хиллари разоблачил перед наукой подделку, о которой знал заранее…»

Сейчас все три злополучных скальпа хранятся, как и прежде, в монастырях Намче Базаре, Кхумджунге и Пангбоче. Во время сельских праздников ламы устраивают ритуальные пляски, участники которых, облачившись в маски и шкуры, изображают гималайских оленей, медведей, козлов и йети, в чьем амплуа выступает танцор со скальпом на голове.

«И было бы нелепо, – пишет по поводу этого обряда Эвальманс, – рассматривать вопрос о йети в зависимости от подлинности этих париков. Ведь изготовляют же теперь из нейлона мех, имитирующий шкуру леопарда, но этот факт вовсе не доказывает, что леопардов не существует! Напротив, это веский аргумент за то, что леопарды существуют».

Почти одновременно с моим прилетом в Катманду туда же прибыл матерый диверсант ЦРУ Такер Гаугелман. Он получил в непальском посольстве США пост «советника по военным проблемам». Гаугелман был заметной фигурой. Ранее он в Южном Вьетнаме возглавлял кровавые расправы над пленными вьетнамцами-партизанами. А в Непале преобразился в «альпиниста» и поисковика йети.

Истинная миссия высокопоставленного оперативника ЦРУ стала полутайной, как только он начал вербовать альпинистов-шерпов и носильщиков тяжелых грузов для подъема на вершины Гималаев. Туда подручные Гаугелмана должны были доставить массивный локатор и атомный генератор с целью широкомасштабной слежки за ракетными установками китайцев в Тибете и прилегающих областях. Ради этого ЦРУ заручилось поддержкой «Бюро разведки» Индии.

Первая американо-индийская экспедиция на Гималаях завершилась крахом: горная снежная лавина сбросила вниз и разрушила локатор и генератор ЦРУ. Однако вторую аппаратуру ЦРУ все же удалось закрепить на хребте Гималаев ценою отправки туда второй экспедиции.

Ради обмана несведущей публики альпинисты ЦРУ объявили, что они видели в снежных горах йети. Более того, участник экспедиции по имени Гурчаран Бханги пропозировал перед фоторепортерами со скальпом йети на голове и костяшками лапы йети в поднятой правой руке. Бханги скрыл, однако, от журналистов, что он вовсе не непалец, а индийский сикх и офицер-радист «Бюро разведки» Индии.

Короче говоря, поиски йети в Гималаях были превращены в 60-х годах в шпионский маскарад.

Загадочная мумия

В номере столичного отеля «Вид на снега», где я остановился, зазвонил телефон:

– Добрый день. С вами говорит профессор Маскей. Жду вас в гости.

И вот я сижу, скрестив ноги, на устланном шерстяными одеялами полу. Пью кофе с пирожными, похожими по виду на сливы, и рассказываю профессору Маскею о деле, которое меня к нему привело. Маскей говорит:

– Да, мумия, о которой вы спрашиваете, действительно существует. Но видел я ее давно. Это было, кажется, вскоре после войны. В те времена один из наших горожан, которого я уже не встречал лет восемь-десять, принес ко мне в музей небольшой ящик, длиною примерно в четверть метра. Владелец ящика сказал, что внутри – доставленный из Тибета мумифицированный труп необычного младенца. Он открыл ящик, и я увидел высушенное человекообразное существо с непропорционально длинными руками. На обезьяну, однако, этот уродец никак не походил. А о йети я тогда еще ничего толком не знал. Хозяин мумии запросил за нее высокую цену, и я отказался от покупки. Но сфотографировал это существо. Фотография должна быть где-то здесь, но куда я ее положил, уже не помню…

Профессор улыбается и добавляет, что ради гостя из Москвы поиски снимка начнутся немедленно. Он встает и начинает тщательно просматривать альбомы, папки с газетными вырезками и многочисленные книги его домашней библиотеки. С одной из полок он берет и показывает мне несколько номеров «Нового времени».

Проходит полчаса, час, полтора. Профессор устал. Он снова усаживается на одеяла и просит своего взрослого сына продолжить поиски. Я спрашиваю гостеприимного хозяина, считает ли он вероятным существование йети.

– Кто же еще, – отвечает Маскей, – мог оставить на снегу эти виденные многими учеными гигантские следы, так похожие на людские?..

Разговор заходит далее о живописи: на стенах кабинета профессора висит несколько картин – Гималаи в снежных шапках, величественная громада Эвереста, портрет непальской королевы – женщины редчайшей красоты, жанровые уличные сценки.

А на одной из картин – русский пейзаж: березы, чистое летнее небо, речушка в низких зеленых берегах. Маскей говорит, что в 1958 году он вместе с непальским королем Махандрой Бир Бикрам Шах Девой был в Москве, встречался с советскими учеными и увез домой вместе с теплыми воспоминаниями дорогой сердцу подарок – это полотно с березами. Слушая профессора, я начинаю понимать почему встретил такой любезный прием в его доме.

Стемнело и прошло уже четыре часа с того времени, как я переступил порог кабинета Маскея, когда его сын воскликнул:

– Отец, вот это фото!

Профессор положил фотографию передо мной:

– Смотрите, вот какая у него длинная левая рука. А правая, к сожаленью, закрыта тканью. Помню, что эта мумия была засыпана сахарным песком, очевидно, для дезинфекции. Кожа у нее была очень сухая, коричневого цвета, как картон. Тело из-за примитивного способа мумификации изрядно деформировалось, но все же можно было определить, что пол этого существа – мужской. Эта фотография – единственная. Второй такой у меня нет. Я дарю ее вам в знак признательности и дружбы к тем замечательным людям, с которыми я встречался в вашей стране…

Расставаясь с профессором Маскеем, я попросил его выяснить – нельзя ли встретиться с владельцем мумии? Профессор обещал это сделать.

Через два дня истекал срок моего пребывания в Непале. Я снова увиделся перед отъездом с профессором Маскеем, но услышал от него, что владелец мумии уже давно не живет по своему старому адресу и где он теперь – пока неизвестно. Профессор обещал продолжить розыски этого человека и в случае удачи сообщить в Москву, в «Новое время».

Никаких вестей из Непала от профессора Маскея больше не было. Никаких новых сведений о йети я, всего лишь турист, фактически не собрал в Непале. Получил только шпионскую информацию. И опубликовал все, что наскреб, в «Новом времени» 28 января 1966 года.

Мою корреспонденцию «Тропою снежного человека» перепечатали сокращенно некоторые советские провинциальные газеты. Три краткие выдержки из моего репортажа я видел также в чехословацкой газете «Млада фронта», в англоязычной газете Индии «Стейтсмэн» и в американской «Дейли Уоркер».

Самого же йети в Гималаях никто до сих пор не поймал.

Дикий человек и НКВД

Тем временем в Москве профессор Поршнев отыскал горожанина, по профессии врача, который лично обследовал пойманного на Кавказе «дикого человека». Поршнев дал мне произведенную им запись разговора с тем врачом и предложил снова опросить его более детально, выяснив дальнейшую судьбу плененного «дикого человека».

По сей день у меня сохранилась стенограмма записи моего разговора с бывшим военврачом 173-го отдельного мотострелкового батальона внутренних войск НКВД экс-полковником Вазгеном Саркисовичем Карапетяном. Будучи уже в отставке, москвич Карапетян рассказал мне 16 февраля 1966 года нижеследующее:

«Я был прикреплен как врач-невропатолог к батальону особых войск НКВД для защиты нашей южной горной границы от проникновения вражеских диверсантов. Поздней осенью 1941 года чекисты приказали мне сделать медицинский осмотр пойманного в горах человека. Его тело было покрыто на спине, груди, плечах и ногах щетиной темно-коричневого цвета. Шерсть напоминала медвежью. На его голове волосы были очень длинные, до плеч, закрывавшие отчасти лоб. На ощупь волосы головы оказались очень жесткими.

От меня требовалось установить: не является ли этот странный человек без одежды замаскированным диверсантом?

Его содержали чекисты в холодном сарае. Мне сказали, что он не может находиться в теплом помещении, так как в тепле сильно потеет.

Пойманный человек стоял совершенно прямо, опустив длинные руки. Рост – выше среднего, порядка 180 сантиметров. Весь очень крупный, широкоплечий, мускулистый. Пол мужской.

Взгляд у него был ничего не говорящий, тусклый, пустой. Это был чисто животный взгляд. Да и вообще он производил впечатление животного.

Мне сообщили, что он не принимает никакой пищи и питья. Ничего не говорит. При мне к его лицу были поднесены вода и хлеб, но он на это никак не реагировал.

Когда я дернул его за волосы головы, у него только участилось моргание глаз. Чекисты несколько раз толкнули его, а он без сопротивления сделал тройку шагов и остановился, издав слабые мычащие звуки.

Мне бросилось в глаза обилие вшей у него на груди, шее и особенно на лице. Целые цепочки вшей копошились у него на бровях и вокруг рта. Это были какие-то неведомые мне вши, не водящиеся на обычном человеке. Они были необычайно крупного размера.

Чекисты напрямик меня спросили: это — человек под волосатой маскировкой? Я ответил, что считаю его не замаскированным, а явно диким.

На мой встречный вопрос о дальнейшей судьбе дикого человека чекисты заявили, что считают его дезертиром, одичавшим в горах и потерявшим людской облик. Чекисты добавили, что они после консультации с высшим начальством, наверное, умертвят преступного уклониста от мобилизации в армию.

Я до сих пор помню тот кавказский поселок, где убили, очевидно, дикого человека. Ведь любой дезертир не мог бы так быстро обрасти шерстью и потерять дар речи за четыре-пять месяцев со времени начала Отечественной войны».

Поршнев неспроста предложил мне продублировать опрос Карапетяна. После чего профессор попросил меня придумать какой-либо способ найти место захоронения убитого кавказского «дикого человека» с целью отдать его костные останки на анализ антропологам. Каким способом это сделать – Поршнев не знал.

В те годы я был в приятельских отношениях с писателем, кинематографистом, журналистом Борисом Ильичем Войтеховым. Он был старше меня более чем на двадцать лет. Войтехов внешне выделялся его сшитыми по-западному элегантными костюмами. Он с молодости был вхож в среду столичной элиты. Одно время он был женат на звезде экрана Людмиле Целиковской, участвовал в попойках и танцульках у младшего сына Сталина разгульного Василия, дружил с карьерным выдвиженцем комсомола Владимиром Семичастным, назначенным в 1961 году главой КГБ.

В середине 60-х годов Семичастный поспособствовал Войтехову стать главным редактором нового многоцветного журнала «Радио и телевидение» (РТ). И Войтехов уже в ипостаси главреда попросил меня написать для его издания что-нибудь, как он выразился, «чрезвычайно экстравагантное».

На это я изложил Войтехову кавказскую историю Карапетяна и сочинил такой план: Поршнев и я настрочим председателю КГБ Семичастнову наше совместное конфиденциальное письмо, перескажем в нем рассказ Карапетяна о поимке «дикого человека», попросим допросить бывших чекистов НКВД о месте закопки ими убитого человекообразного существа, извлечем его кости для антропологов, а сами никогда и никому не проболтаемся о том, кто умертвил волосатого получеловека.

Войтехову понравилась моя выдумка. И вскоре он получил для дружеской передачи Семичастнову пятистраничное письмо от Поршнева и меня. Мы, в частности, написали:

«Уважаемый Владимир Ефимович! Если бы удалось обнаружить костные останки обследованного Карапетяном существа, то опытный антрополог смог бы определить – человек это был или неандерталоид. Последнее имело бы огромную научную ценность».

Концовка письма была весьма политесной:

«Уважаемый Владимир Ефимович, в случае Вашего распоряжения о расследовании приведенных нами сведений, мы со своей стороны обязуемся использовать сообщенные нам данные только в том объеме и в той форме, которые Вы сочтете приемлемыми. Мы обязуемся также не оглашать полученные сведения до тех пор, пока не будет дано соответствующее разрешение.

Лауреат Государственной премии СССР,
доктор исторических наук, профессор
Б.Ф. Поршнев

Член редакционной коллегии журнала
«Новое время»
И.И. Андронов».

Минула пара недель, и мне позвонил домой по телефону мужчина, назвавшийся полковником КГБ Быковым:

– Мы получили задание Председателя по вашей просьбе. Как только выяснится что-то существенное, я позвоню вам опять. До свидания.

Через месяца три полковник Быков повторно позвонил мне и сказал, чтобы завтра утром я с Поршневым явился в подъезд № 3 центральной резиденции КГБ на площади Дзержинского, нынешней Лубянки.

Так мы и поступили. За уличными дверями подъезда был проверочный пункт с двумя офицерами. Один из них взял наши паспорта и сверил фамилии со своим страничным списком. Затем офицер предложил нам пройти на второй этаж в комнату под названным им номером.

Мы прошли по лестнице и длинному узкому коридору, устланному бесшумной красной ковровой дорожкой. В указанной нам комнате открыли дверь и очутились в просторном помещении, где сидел за письменным столом чекист с погонами капитана.

В той комнате не было другой мебели кроме стола со стулом и прислоненного к стене громоздкого славянского шкафа. Передняя стенка шкафа была украшена затейливой деревянной резьбой, а шкафные дверцы имели поверху стеклянные вставки.

Увидев этот шкаф, я сразу невольно вспомнил советский фильм «Подвиг разведчика», в котором актер-красавец Кадочников в роли нашего нелегала приходит на явочную квартиру, звонит в дверной звонок, а когда дверь приоткрывает квартирант, то Кадочников произносит конспиративный пароль:

– У вас продается славянский шкаф?

– Да. Продается, – звучит ответный пароль. – Продается славянский шкаф с тумбочкой.

Однако внушительная копия славянского шкафа КГБ имела вовсе не парольное предназначение. К шкафу подошел чекист-капитан, распахнул шкафные дверцы и обратился к Поршневу и ко мне:

– Пожалуйста, входите. Наш генерал уже ждет вас.

Поршнев как-то механически и, по-моему, бездумно вошел в славянский шкаф, а я слегка растерялся.

Тогда капитан мягко взял меня за локоть и приободрил:

– Не смущайтесь, входите.

В задней стенке шкафа оказался широкий проем человеческого роста, и через него мы вступили в генеральский кабинет. Сам же генерал был в штатском костюме с галстуком и поднялся нам навстречу из-за большого стола.

Генерал назвал свои имя и отчество, которых я не запомнил, ибо они были, как думаю, вымышленными. Хозяин кабинета попросил нас присесть на два стула у его стола и выложил на стол перед Поршневым несколько фотоснимков с лежащими мертвыми животными. Генерал пояснил Поршневу:

— Эти фото погибших существ при нарушении ими наших южных горных границ. Можете опознать среди них так называемого снежного человека?

Поршнев ткнул пальцем в каждый снимок и недовольно проворчал:

— Вот это убитый горный козел. А это гималайский медведь. А тут мертвая обезьяна лемур. Никакого снежного человека на ваших фото нет.

Генерал молча сгреб снимки и убрал их в выдвижной ящик стола. Чекист понял, что перед ним сидит настоящий ученый, осведомленный хорошо о животном мире на наших высокогорных границах. И генерал решился выложить нам хотя бы полуправду. Он медленно проговорил:

— Мне нечем, увы, вас порадовать. Мы опросили бывших офицеров НКВД, которые заказали доктору Карапетяну медосмотр пойманного в 1941 году некоего дикого существа. Эти офицеры-чекисты вышли в отставку и малоразговорчивы об их прошлых делах. Некоторых из них ранее уже допрашивали по обвинениям в нарушении ими социалистической законности в отношении их сограждан. И они не хотят новых неприятностей. Они заявили, что не помнят, где закопали казненного одичавшего дезертира. Вот и все, что я могу вам сообщить. Извините.

На сем мы расстались с генералом КГБ и ушли из его кабинета через сквозной шкаф. Он привычно сохранился, видимо, с тех минувших времен, когда в соседней комнате допрашивали очередного арестанта, и начальник следователя мог зайти в славянский шкаф с тыла и понаблюдать за допросом через шкафные стеклянные оконца.

Покинув главную обитель КГБ, мы с Поршневым задержались на тротуаре улицы Кузнецкий мост, дабы перевести дух и обменяться мнениями о нашей неудаче.

Поршнев был сильно огорчен. Я высказал ему свою догадку: подчиненные Семичастного самовольно сочли, что неподвластный им университетский профессор и его бесконтрольный напарник —

журналюга могут рано или поздно разболтать то, как чекисты укокошили уникального предка человечества. И тогда КГБ будет постыдным посмешищем во всем мире.

Профессор Поршнев согласился с моей гипотезой. Распрощался со мной и побрел, сутулясь уныло, вниз по горбатому Кузнецкому мосту.

Вскоре Борис Федорович скончался. С его уходом угасло и мое хобби – снежный человек.

Тоже вскоре Владимира Семичастного уволили с поста председателя КГБ и перевели на унизительно ничтожную госдолжность. Он умер в полном кремлевском забвении от инсульта на 77-м году жизни.

А я вот пока живу и по-прежнему полагаю, что было бы перспективно послать в джунгли Индокитая тщательно оснащенную экспедицию для поисков лаосского подобия снежного человека – дикаря тхак тхе.

МОСТ ЧЕРЕЗ РЕКУ ТАГ

Проработав в США почти двенадцать лет советским журналистом, я обычно утром начинал деловой день с просмотра свежих газет и журналов. Это были «Нью-Йорк таймс», «Нью-Йорк пост», «Вашингтон пост», «Вашингтон таймс», «Нью-Йорк дейли ньюс», «Тайм», «Ньюсуик», «Коверт Акшн бюллетен», «Солджер оф форчун» и эмигрантское «Новое русское слово».

Из тысяч бумажных слов я старался вылущить такое зернышко, которое могло бы стать компасом к будущей теме моего нового репортажа.

Мое положение было похуже служебных забот других советских корреспондентов в Нью-Йорке и Вашингтоне. Они ежеутренне выуживали из американской прессы пригодные им факты, обыгрывали их в стиле нашей пропаганды и телеграфировали или телефонировали свою стряпню в их московские редакции.

А я ишачил на еженедельники – сперва «Новое время», потом «Литературную газету», которым вчерашние новости из Америки были не нужны. Им требовался оригинальный и остросюжетный репортаж с выездом корреспондента из Нью-Йорка на место события, интервью с очевидцами события, журналистская зарисовка конкретной политической обстановки.

Помню, как, будучи в командировке на родине тогдашнего президента США Джимми Картера в штате Джорджия, я вечером в мотеле увидел по телеканалу Си-би-эс 12 августа 1977 года сегмент новостной передачи из шахтерского угольного поселка Волкан. На экране были показаны неказистые одноэтажные бараки и стоящие возле них бедняцки одетые посельчане. Диктор сказал, что поселок прижат к горной речке горами Аппалачей, и единственный предгорный проход к поселку занят железнодорожными путями со стоящими на них составами вагонов с углем. Эта узкая полоска земли и ее обрыв в горную речку являются частной собственностью угледобывающей фирмы и запрещены для пешего пользования жителями Волкана.

Телепередача также сообщала, что раньше у поселка был старый канатный мост для переправы в соседний штат Кентукки, где вдоль берега пограничной речки Тог тянется хорошее шоссе. Но три года назад речное половодье разрушило и снесло спасительный мостик. А тем временем власти штата Западной Вирджинии, где находится изолированный теперь отовсюду поселок Волкан, отказались восстановить или построить заново исчезнувший мост.

Главным персонажем телепередачи был показан костлявый, худо одетый пожилой мужчина в рубашке с открытым воротом и сандалиях на босу ногу. Он назвал себя – Джон Робинет, неофициальный мэр поселка. Робинет заявил, что неделю назад обратился к Советской России с просьбой построить речной мост. Но ответа не получил. Над чем насмешливо поиздевался под конец холеный диктор Си-би-эс.

После той телепередачи я попытался отыскать Волкан на имевшемся у меня подробном атласе карт Соединенных Штатов. Однако нигде в Западной Вирджинии никакого Волкана не было. К тому же вообще в Аппалачах нет вулканов. И я отложил эту неясную историю на будущее.

Тем не менее та история ожила для меня почти полгода спустя. 12 декабря 1977 года я вычитал в «Вашингтон пост» иронически составленную заметку:

«Джон Робинет, мэр Волкана в Западной Вирджинии, вляпался в неприятность, пытаясь привлечь внимание русских. Он еще в сентябре писал их правительству, прося иностранную помощь в размере примерно 250 тысяч долларов, чтобы восстановить речной мост, соединяющий Волкан, деревушку с двумя сотнями душ на границе Кентукки, с остальной цивилизацией. Но мэр не получил никакого ответа. Теперь мэр раздумывает: наверное, и у коммунистов нет никакого интереса к Волкану, как это уже продемонстрировал Дядя Сэм, который раньше начхал на стройку речного моста. Но быть может, послание мэра не дошло до адресата. Так или иначе, теперь безработный мэр пытается раздобыть 15 долларов на мэйлграмму прямо в Кремль».

Эту язвительную заметку я вырезал из газеты и сохранил. К чему? Да просто так. Сперва без всякого умысла. Однако она острой занозой засела в памяти. Почему-то я долго не мог ее забыть. Что-то подспудно бередило мне душу и понуждало к действию.

Поначалу я дозвонился по телефону до центрального справочного бюро Западной Вирджинии. И попросил дежурную телефонистку помочь мне снестись с мэром Волкана. В ответ услышал, что справочник штата не содержит номера телефона мэра Волкана, хотя этот микроскопический поселок, кажется, все-таки существует возле пограничного с Кентукки городка Мэтеван. Оттуда позже откликнулся муниципальный чиновник мистер Дэвис:

– Да, Волкан неподалеку от нас. Но я не знаю номера телефона тамошнего мэра.

– А как проехать к Волкану?

– Проехать практически невозможно. Ведущий к Волкану речной мост развалился. Советую нанять вертолет.

– Шутите?

– Нисколько. Вряд ли вы решитесь достичь Волкана вплавь. А в объезд реки на подступах к Волкану – горы и такое бездорожье, что туда ехать ни один таксист не согласится.

– Если я приеду к вам, то найдется пеший проводник до Волкана?

– Позвоните мне завтра.

Назавтра я, поздоровавшись с Дэвисом, услышал вслед затем из трубки другой взволнованный голос:

– Это Джон Робинет! Мне точно передали, что вы говорите по-английски?

– Точно.

– А правда, что вы намерены посетить Волкан?

– Еще не решил окончательно.

– Прошу вас, приезжайте. И как можно быстрее.

– Хорошо.

– Когда же?

– Скажем, через три дня.

– Отлично! Доберетесь автобусом до города Уильямсон, а там я вас встречу. Все в нашем поселке очень обрадуются вашему визиту. Ждем!

И я собрался в Аппалачи. Теперь предстояло, проехав по стране образцовых транспортных коммуникаций, достичь глухого поселка, неизвестно как заброшенного далеко от автострад, железных дорог и авиалиний сегодняшней Америки. Путешествие обещало быть интересным.

Из Нью-Йорка летел я полдня самолетом до города Хантингтон в Западной Вирджинии. Затем полдня ехал автобусом до города Уильямсон. Шоссе извивалось меж холмов, покрытых лысоватым лесом. Встречных машин попадалось мало. Несколько раз видел из автобуса железнодорожные полустанки и неподвижные составы порожних угольных платформ. Так же неподвижно стояла вдоль обочины шоссе колонна пустых грузовиков-углевозов. В Аппалачах была шахтерская забастовка.

Въехали в Уильямсон. Его двухэтажные дома сгрудились на берегу маленькой, но капризной в половодье речки Таг. Она накануне моего приезда залила Уильямсон и потом возвратилась в свое русло, оставив на улицах жидкое месиво ила и земли, а на стенах домов – налипшую зеленоватую плесень. Очищать тротуары и постройки городские власти, видимо, не торопились. Да и ради кого им прытко усердствовать? Живут в Уильямсоне шахтеры, железнодорожники, лесорубы.

Автобус подрулил к деревянной будке на площади. Пассажиры прильнули к окошкам: перед автостанцией зачем-то толпились люди с телевизионными камерами, лампами на штативах, микрофонами, фотоаппаратами. Я смекнул, что в Уильямсон нагрянули американские коллеги-репортеры за какой-то весьма заманчивой для них поживой. Тогда я еще не знал, что мои предыдущие телефонные розыски мэра Робинета получили здесь огласку. И вызвали широкий интерес, когда в день моего отлета из Нью-Йорка уильямсонская газетка «Нью эра» напечатала такую залихватскую статейку:

«Русские идут в Волкан! Советский журналист едет сюда в ответ на запрос об оказании нам помощи от Москвы. Джон Робинет, мэр Волкана, отчаялся добиться помощи от властей штата и правительства США на восстановление моста к Волкану и ныне пригласил приехать нью-йоркского корреспондента «Литературной газеты» Иону Андронова. Робинет заявил: «Андронов ничего не обещает. Но он опишет советской публике наше бедственное положение». Робинет одержим идеей добиться постройки моста, чтобы его поселок не был отрезан от мира».

В неведении насчет этого объявления, я, выйдя из автобуса, решил в сторонке от скопившихся журналистов дожидаться мэра Робинета. Но не сделал и пары шагов, как ко мне ринулись незнакомцы.

– Это вы советский корреспондент?

– Да, а что?

– Вашу газету издает советское правительство?

– Ее издает, – сказал я, – профсоюз советских писателей.

– Но вы сами-то коммунист с партбилетом?

– Правильно, – улыбнулся я. – Однако, в чем дело?

– Эй, ребята! – раздался клич. – Это он. А где же Робинет?

Из-за спин репортеров и телеоператоров протиснулся худощавый мужчина в заношенной куртке. Он был смущен и робко поприветствовал меня. Мы обменялись рукопожатием. Вспыхнули блицы, зашуршали телекамеры, отовсюду надвинулись на нас микрофоны.

Я спросил: из-за чего переполох? Вальяжно-полноватый господин заявил, что он во главе группы корреспондентов телекомпании Эй-би-си спешно прибыл геликоптером в Уильямсон полтора часа назад. Указав на остальных, он прибавил:

– А это сотрудники местного телевидения, репортеры основных телеграфных агентств, корреспонденты газет. Всех привела сюда сенсация: впервые в истории Соединенных Штатов должностное лицо апеллирует к иностранцам с просьбой экономического характера, причем обращается с этим к Советской России! Ничего подобного мы никогда раньше не слыхали! Приготовьтесь к тому, что мы будем следовать за вами по пятам и записывать каждое ваше слово из разговоров с мэром Робинетом.

– Ладно, – сказал я. – Лишь бы вы не мешали моим репортерским занятиям.

Небывалый запрос экономической помощи из США в Москву вызвал, действительно, такой ажиотаж, что к нему подключился известный голливудский киноконцерн Метро-Голдвин-Мейер (МГМ). Владельцы МГМ объявили, что если русские и американские власти не смогут почему-то построить речной мост в Волкане, то это сделает МГМ и снимет об этом отличный художественный фильм.

Намерение МГМ не было голословным. Мне передали в 1979 году уже готовый киносценарий, написанный литератором Клайдом Вейром под присмотром голливудского продюсера Джея Вестона. Название сценария – «Мост для Волкана».

Но одноименный фильм не был отснят, ибо несколько месяцев спустя всю Америку и многие иные страны охватило бурное антисоветское возмущение: войска СССР вторглись в Афганистан. Большинство государств-членов ООН приняли совместную резолюцию с осуждением советского нападения на слабого соседа. В Америке даже вспыхнула кампания за публичное разбитие об уличный тротуар бутылок с русской водкой. Такому настроению никак не соответствовал миролюбивый «Мост для Волкана».

Тем не менее я хочу ознакомить моих читателей с выдержками из голливудского сценария[1], чтобы показать как разнятся взгляды русских и американцев на одни и те же факты. Надеюсь заодно и позабавить вас. Итак, вообразите: вы кинозритель американского фильма, на экране – первые кадры.

---

[1] *Примечание.* Цитируемые здесь фрагменты киносценария «Мост для Волкана» были ранее напечатаны   московским журналом «Знамя» в июле 1984 года

Мост для Волкана

...Лос-Анджелес. Вид с высоты. Паутина пересекающихся автомагистралей. По ним снуют десятки тысяч крохотных, как букашки, автомобилей.

В кадре – небоскреб. Перед ним автостоянка, забитая машинами. Среди них втиснут красный «мерседес». Он староват, однако, смотрится еще неплохо. В его багажник запихивает чемоданы Вивиан Спенсер. Ей лет под сорок, но она по-юношески изящна, привлекательна и даже может быть чарующе обворожительной, когда того захочет. Тем не менее в этот момент она одета буднично: джинсы, заурядная блузка, косынка на голове. Покончив с упаковкой чемоданов, она садится за руль и уезжает.

Машина Вивиан вливается в бесконечный поток заснятых опять с высоты автомобилей, превращается также в быстроходного жучка и уносится вместе с другими автомошками из Лос-Анджелеса и Южной Калифорнии.

Красный «мерседес» стремительно скользит вниз по горной трассе. Потом катит по плоской пустыне. Опять врывается в горы. Спускается на степные равнины. Мелькают бензозаправочные станции и бесчисленные мотели. Возникают цветущие магнолии и окутанные туманом болота южных штатов. Река Миссисипи, Новый Орлеан, Нэшвилл с его незатейливыми мелодиями деревенского джаза. И под конец – Кентукки. Зеленые травы, холмы, белые изгороди ферм.

Внезапно Вивиан нажимает изо всех сил на тормоз, машина содрогается, грохочет, судорожно виляет и останавливается. В расширенных глазах Вивиан – испуг и удивление. Она утирает лицо платком. Выбирается из авто на дорогу. Ее машина замерла при въезде на сельский мост через неширокую бурную реку. Еще несколько метров – и «мерседес» сверзился бы, будто с трамплина, в глубоководную западню. Вивиан ошеломленно смотрит на развалившийся мост.

У въезда на мост выставлен на двух шестах большой кусок жести. На ней сквозь слой ржавчины и грязи проступают полуоблупившиеся метровые буквы: «Добро пожаловать в сказочно прекрасную Западную Вирджинию!» Пониже – вторая строка: «За мостом – поселок Волкан».

Мост был, судя по всему, построен много лет назад и так обветшал, что распался кучами гнилых обломков. Их поглотила река. И только на берегу со стороны Кентукки уцелел огрызок первого пролета разрушенного моста. Глядя на его руины, бледная от пережитого волнения Вивиан стоит, прислонясь к своей машине.

Неожиданно Вивиан слышит какие-то звуки. Они исходят от сохранившегося начального пролета моста. Похоже, что там плещется вода. Вивиан приседает, заглядывает под остаток моста и видит внизу причалившую утлую лодку. В ней женщина и мужчина. Он ворочает веслами. Подгребает вплотную к берегу, выскакивает на него и помогает спутнице выбраться из лодки на сушу. Вдвоем они, тяжело дыша, вскарабкиваются на крутой берег. По физиономиям и одежде они – простые местные жители. Заметив Вивиан, оба с недоумением рассматривают незнакомую леди, словно инопланетное существо в их глухомани.

Вивиан: «Хэлло! Что стряслось с мостом? Я ехала в Волкан по памятной мне издавна дороге…»

Мужчина: «Наш мост, как видите, развалился».

Вивиан: «Как же мне быть? Ведь это единственный путь к Волкану. Как теперь туда попасть?»

Мужчина: «Только на лодке».

Вивиан: «Но я хочу доехать до Волкана на автомобиле!»

Женщина: «Придется вам, милая, потерпеть часа два. Мы должны сделать закупки в продуктовой лавке, а потом вернемся и возьмем вас в нашу лодку. Верно, Бобби?»

Мужчина: «Ну, конечно».

Вивиан: «Спасибо, но мне понадобится машина в Волкане. Как же туда проехать?»

Женщина: «Да зачем вам ехать в Волкан? Там нет ничего подходящего для вас. Нет ни одного приличного магазина. Нет парикмахерского салона…»

Вивиан: «Я знаю. Однако мне необходимо добраться туда на машине. Есть же, наверное, какой-либо способ?»

Мужчина: «Тогда поезжайте обратно, сверните на шоссе номер 12, с него – на номер 23, потом на автомагистраль штата и направляйтесь к востоку…»

Вивиан: «Вспомнила! Оттуда следует повернуть на дорогу 64…»

Мужчина: «А по 64-й дороге ехать на восток, пересечь речной мост, выехать на дорогу 54, сделать крюк к западу и попасть на дорогу Сосновой горы…»

Вивиан: «Дорога Сосновой горы! Это же деревенская тропа?»

Мужчина: «Да, мэм».

Вивиан: «Такой объезд составит не менее шестидесяти миль!»

Мужчина: «Точнее – семьдесят».

Женщина: «Если вы, милая, очень торопитесь, то Бобби, так и быть, перевезет вас через реку сейчас».

Вивиан: «Право же, мне нужен мой автомобиль…»

Мужчина: «Только затем, чтобы взглянуть проездом на Волкан?»

Вивиан: «Нет, я задержусь там. По неотложным делам».

Женщина: «О, я догадалась: вы – Вивиан Спенсер?»

Вивиан: «Да, но почему вы…»

Женщина: «Мы много слышали о вас. Мы были друзьями вашего отца. Его знали все в нашем округе».

Женщина протягивает руку Вивиан. Мужчина снимает шапку.

Вивиан: «Рада встречи с вами. Миссис?..»

Женщина: «Лош. Бобби и Мэксин. Здравствуйте, мисс Вивиан. Как ужасно жаль, что ваш папа…»

Вивиан: «Благодарю. Но он прожил славную жизнь. И хорошо, что это случилось с ним мгновенно и он не страдал».

Женщина: «Наши односельчане говорили, что вы обязательно приедете. Да благословит вас бог, дорогая».

Бобби и Мэксин провожают Вивиан к ее машине. Вивиан заводит мотор. Оборачивается к мосту, озадаченно покачивает головой. И уезжает.

Красный «мерседес» кружит по разветвлениям местных дорог, но Вивиан больше не испытывает беспокойства или досады. Она взирает с улыбкой на покинутые ею давным-давно лесистые холмы, распаханные ложбины, пастбища, фермы. Включает радиоприемник, подпевает простонародной песенке под гитару. Она ощущает наконец, что вернулась к родному дому, он уже совсем близко, и Вивиан заставляет свою машину издавать озорные звонкие гудки.

«Мерседес» съезжает с узкого шоссе на грунтовую дорогу Сосновой горы. Проселок в кошмарном состоянии. Машина еле ползет по нему, подскакивает на ухабах, оседает с боку на бок в рытвины, временами буксует. Навстречу то и дело ползут ревущие надсадно мощные грузовики с углем. Они поднимают облака пыли, которая окутывает «мерседес», ослепляет Вивиан и вызывает у нее приступ удушливого кашля. Вивиан все же пробирается кое-как сквозь серую пелену пыли, огибает зеленый холм и подкатывает к кромке открытого угольного карьера. Она печально разглядывает изуродованный безжалостно ландшафт. Окружающие холмы срезаны до основания, и повсюду лишенная растительности земля зияет черными кратерами. Объезжая их, машина Вивиан опять подпрыгивает, кренится, пронзительно скрипит.

Далее проселок утыкается в железнодорожную одноколейку. На ней стоит длинный эшелон платформ с углем. Неподвижный состав перекрыл проезд через одноколейку. Вивиан растерянно рассматривает эшелон. Что делать? Она подает автогудки, но тщетно. Наступает мертвая тишина.

Потом из-под угольной платформы показывается мужчина в замасленной спецовке. Он держит в руке фонарь. Флегматично проверяет сцепление между платформами.

Вивиан: «Как долго поезд простоит здесь?»

Рабочий: «Пока загрузят углем еще десяток платформ».

Вивиан: «И все это время эшелон будет блокировать переезд?»

Рабочий: «Ага. Как обычно».

Вивиан: «Неслыханно! Мне надо срочно попасть в Волкан! Это очень важно. Можете чем-то мне помочь?»

Сперва она говорит гневно, но сразу осознает, что ее возмущение бесцельно, и потому заканчивает свою реплику нежным голосом хорошенькой беспомощной женщины, молящей о сочувствии представителя сильного пола.

Рабочий: «Когда загружают вагоны, мне недозволено…»

Вивиан: «Ну, пожалуйста! Прошу вас!»

Она бросает в атаку все свои дамские чары, и сцепщик платформ уже колеблется.

Рабочий: «Хм, я не должен этого делать, однако…»

Он ныряет под платформу, загородившую путь автомобилю Вивиан.

Рабочий: «Ох, попаду же я в беду!»

Он расцепляет две платформы, сходит с рельсов. Через несколько секунд поезд сдвигается рывком на несколько метров вперед и опять замирает.

Вивиан: «Потрясающе!»

Рабочий: «Скорее проезжайте!»

Вивиан: «Огромное спасибо! Но почему у вас не считаются с автомобилистами?»

Рабочий: «Об этом спросите хозяев фирмы «Угольная долина». Им принадлежат и карьер, и железная дорога, и эшелоны».

Вивиан: «Прощайте».

«Мерседес» поспешно проскакивает переезд. Вивиан оглядывается, машет рукой рабочему. Он чихает от пыли, поднятой «мерседесом». Но тоже машет в ответ и широко улыбается.

В кадре – поселок Волкан. Он очень мал. Лишь два квартала одноэтажных домишек и бараков. Никакого автодвижения. Вивиан едет в одиночестве по немощеной улице мимо деревянных халуп, половина из которых необитаема и заколочена досками поперек окон и дверей. Бывший крошечный кинотеатр лежит в руинах. Приземистое здание школы заколочено. Большинство покинутых жилых домов уже частично развалилось. Улица безлюдна. Волкан, по существу, поселок-привидение. У Вивиан на глазах слезы.

Она тормозит возле единственного в поселке трехэтажного жилого дома. Его окраска на фасаде вылиняла и потрескалась. Он явно нуждается в ремонте, но по сравнению с другими строениями до сих пор выглядит как Тадж-Махал. Переступив его порог, Вивиан попадает в объятия пожилой деревенской женщины Мэри Лоу.

Мэри: «Мы страшно беспокоились, что ты опоздаешь на похороны! Мы уже собирались попросить преподобного Свэна сделать отсрочку на четыре часа».

Они обе входят в большую гостиную, где сидят вокруг накрытого стола около дюжины родственников Вивиан с детьми. Все смотрят на нее. Некоторые начинают всхлипывать. Ребятишки продолжают жевать. Вивиан пытается вспомнить имена родственников, узнать знакомые некогда лица, но ничего у нее не получается. А они обступают ее, целуют, обнимают, говорят все разом.

Родственники: «Ах, Вивиан, дорогая!.. Бедный дядюшка Джеймс!.. Мы и не подозревали, что он так плох!.. Еще на днях он выглядел здоровяком… Ты признала, Вивиан, твоего кузена Томми?.. Ты такая красотка!.. Скорее покормите Вивиан!.. Тетя Джесси испекла в твою честь индюшку!.. Мы все боготворили, Вивиан, твоего отца!.. Говорят, ты преуспеваешь в Голливуде?..»

Вивиан: «Спасибо, что вы все пришли… Здравствуй, Томми, ты нисколько не изменился… Нет, я не голодна… Рада вас видеть, дядя Джо… Благодарю, благодарю…»

Мэри: «Стоп! Дайте Вивиан отдохнуть с дороги».

Вивиан: «Что вы, Мэри Джейн…»

Мэри: «Мэри Лоу».

Вивиан: «Прошу извинить, Мэри».

Родственники: «Посмотри-ка, Вивиан, и вспомни – это твоя тетя Элен!.. А ты такая стала элегантная!..»

Мэри: «Тихо! Дайте ей передышку. Пошли, Вивиан, я отведу тебя в ванную и спальню».

Вивиан: «Я снова хочу всех вас поблагодарить. Вы ценили отца, общались с ним… Я разговаривала, конечно, с отцом по телефону, но… Знаю, что вы позаботились о его похоронах… Вы очень добрые… Я вам благодарна…»

Ее голос срывается. Все затихли. Мэри, обхватив Вивиан за плечи, уводит ее из гостиной. Родственники молча возобновляют трапезу.

В кадре – спальня Вивиан. Ее фотографии развешаны по стенам. Вот она школьница. Вот с влюбленным в нее парнишкой. Позже – в костюме эстрадной танцовщицы. Потом – среди артистов ансамбля Глисона. Затем – актриса мюзикла на Бродвее.

Она переходит от снимка к снимку, видит заново свою жизнь и сознает, что отец, собирая ее фотографии, никогда не расставался с нею, хотя она годами не была дома, не навещала отца, жила вдали сама по себе. Жалость к отцу и запоздалая любовь переполняют Вивиан. Она не может побороть дрожь и слезы.

Подходит к окну. Замечает что-то снаружи, всматривается пристально. И на ее лице постепенно проступает выражение твердой решимости. Слезы еще не высохли на щеках, но она больше не плачет. За окном она видит нечто, гипнотизирующее ее сознание.

В кадре – рухнувший речной мост к Волкану. Бренные останки моста лежат в сотне метров от отчего дома Вивиан. Для нее сейчас это символ горькой утраты и несчастья. Смерть отца уже необратима. Но ведь умирает теперь и родной поселок ее отца только потому, что развалился мост – исчезнувшая связь Волкана с цивилизованным внешним миром. И хотя Вивиан еще не знает, что ей предпринять, ее деятельная натура уже духовно воспрянула. Тоска по отцу не отступила, но родилась решимость восстановить то, что поправимо. Как? Это пока ей совершенно неясно.

В кадре – похоронная процессия продвигается от дома Спенсеров по улице. Параллельно ей на расстоянии четверти километра тянется железнодорожная одноколейка, берущая начало возле угольного карьера. Участники похорон сворачивают с улицы к одноколейке. На ней опять стоит эшелон платформ с углем. Подойдя к составу, жители Волкана принимаются пробираться на четвереньках под платформами. От толпы возбужденно отделяется Вивиан.

Вивиан: «Постойте! Что вы делаете?»

Мэри: «Кладбище по ту сторону железной дороги».

Вивиан: «Я знаю. Но где это видано – похороны ползком под вагонами? Нет! Остановитесь! Какой позор!»

К Вивиан приближается преподобный Свэн, священник лет шестидесяти. Он зарабатывает себе на хлеб тем, что служит по совместительству электриком. Он рослый, кряжистый, внушительно спокойный.

Свэн: «Не тревожитесь, мисс Спенсер. Мы к этому привыкли».

Вивиан: «Но это возмутительно! Я заставлю их сдвинуть проклятый эшелон!»

Свэн: «Угольная компания обычно держит тут эшелоны очень долго».

Мэри: «Твой папа, Вивиан, отправился в его последний путь к божьему царству, и нам не следует чинить тому помехи».

Вивиан: «Мой отец не должен отправляться к богу под вагонами фирмы «Угольная долина»!

Свэн: «Наш житейский путь тернист, но рай благостен и умиротворяющ».

Потрясенная Вивиан видит, как мужчины, несущие гроб, протискивают свою ношу под вагонами. Она порывается оттащить назад гроб с телом отца, но ее удерживают Свэн и Мэри Лоу. Остальные лезут на корточках под платформы. Вивиан охвачена стыдом и бессильной злостью. Люди обходят ее смущенно и понуро. Она понимает: ничего изменить невозможно.

Свэн: «Отбросьте, мисс Спенсер, мирские заботы. Вашего отца ждут райские кущи».

Вивиан хочет жестко осадить Свэна, но превознемогает свое раздражение: спорить, увы, бесполезно.

Вивиан: «Да, преподобный. Простите».

Свэн переглядывается с Мэри Лоу, берет под руку Вивиан и помогает ей пролезть под платформами. Процессия скорбно опять движется к кладбищу…

На следующий день Вивиан сидит в уединении на берегу реки, под тенистой кроной большого дерева. Теплый летний ветер колышет зеленые травы. Чирикают птицы. Распустились полевые цветы. Но Вивиан сосредоточено смотрит на обломки старого моста. Ее выводит из отрешенной задумчивости голос Мэри Лоу.

Мэри: «Эй, Вивиан, Вивиан!»

Вивиан встает с травы и машет рукой в ответ. Мэри идет к ней, держа какую-то бумажку. На Мэри выходное платье. Она собралась куда-то из поселка.

Мэри: «Чутье мне подсказало поискать тебя здесь. Через час я переправлюсь на тот берег и пойду на автобусную станцию. Вернусь домой на будущей неделе».

Вивиан: «Без тебя в нашем доме неуютно. Ты всегда заботилась об отце. До конца его жизни. Я тебе очень признательна».

Мэри: «Я обожала его. Ты это знаешь. Его все любили. Он был самым самостоятельным человеком в поселке, но не смотрел на других свысока. Помогал многим, одаривал неимущих, хлопотал, как мог, о благополучии поселка».

Вивиан: «Да, таким и был папа».

Мэри: «Ой, чуть не забыла! Письмо! Я засунула его на прошлой неделе за настенные часы. Возьми-ка».

Вивиан берет официозно выглядящий конверт.

Вивиан: «На нем иностранные марки».

Мэри: «И написано не по-нашему. По-гречески?»

Вивиан: «По-русски! Это из России».

Мэри: «Разве твой отец знал кого-нибудь в России?»

Вивиан переворачивает конверт так и сяк, изучает его изумленно.

Вивиан: «Папа ничего подобного мне не говорил… Быть может, во время войны он встречал на фронте русских офицеров. Но…»

Мэри: «Да распечатай конверт!»

Они смотрят друг на друга. Вивиан пожимает плечами. Открывает конверт.

В кадре – удивленное лицо Вивиан.

Вивиан: «Здесь значится по-английски «Советский фонд мира»! Это из Москвы! Неужто из Кремля?»

Мэри: «С какой стати им слать нам письма?»

Вивиан читает письмо: «Мост между вашим штатом Западная Вирджиния и соседним штатом Кентукки!..»

Мэри: «Как русские прознали об этом?»

Вивиан: «А так, что отец, очевидно, написал им! Он попросил у них финансовой помощи на постройку нового моста! О, боже…»

Мэри: «Как он додумался? Россия?!»

Вивиан: «Слушай дальше: «Ваше письмо с запросом о помощи было переадресовано нам государственными властями Союза Советских Социалистических Республик, к которым вы апеллировали в вашем…»

Мэри: «Россия? А это не розыгрыш?»

Вивиан разглядывает заново конверт и показывает его Мэри.

Вивиан: «Вот русский штемпель – «Москва». И обратный адрес – «Фонд мира». И официальные печати».

В безграничном изумлении она в третий раз осматривает письмо.

Мэри: «Господи!»

Вивиан: «Да, Мэри, папа, несомненно, сделал это! Он отослал письмо в Россию, прося помощи построить нам мост!»

Мэри: «Ну, что же, он испробовал до того все иные варианты. Молил о помощи и власти округа, и штата, и федеральное правительство».

Вивиан читает письмо: «Наш представитель, уполномоченный провести предварительное ознакомление, прибывает в среду, одиннадцатого…» Одиннадцатого! Да это же сегодня!»

Мэри: «Русские прибывают сюда?»

Мэри, выпучив глаза, вырывает письмо.

Вивиан: «Так сказано в письме!»

Они застывают, будто в шоке.

Мэри: «Да, сказано: «Наш представитель Владимир Андронов прибудет одиннадцатого после полудня!»

Вивиан: «А сейчас начало второго!»

Мэри: «Что нам делать? Известить губернатора? Полицию?»

Вивиан: «Они и без нас наверняка уведомлены. Не следует ли созвать в Волкане общественный комитет для этой встречи? Да кто возьмется? Кто, мэр? Или начальник пожарной команды?»

Мэри: «У нас нет штатного мэра. Его обязанности исполнял бесплатно твой отец. И он же возглавлял добровольную пожарную команду…»

Вивиан: «Так кто же возьмется?»

Но Вивиан уже дала себе ответ. Она успокаивается и принимает решение.

В кадре – автобусная станция. К ней подкатывает «мерседес». Из него выходят Вивиан и Мэри. Они нервно поглядывают на пустынное шоссе.

Вивиан: «Придется подождать. Если он прибудет даже с полицейским эскортом, его должен кто-то проводить до Волкана».

Мэри: «Гляди! Идет мой автобус! Жуть, как не хочу уезжать. А надо!»

Подъезжает рейсовый автобус. Останавливается.

Мэри: «Как же ты справишься одна?»

Вивиан: «Я уже взрослая девочка. Справлюсь».

Мэри: «Вся в отца! Счастливо!»

Раскрывается дверь автобуса. Из него выходит Владимир Андронов. Он высок, недурен собой, импозантен. Одет в поношенный костюм. В руках саквояж.

Мэри в спешке задевает Владимира Андронова.

Владимир: «Извините».

Мэри: «Простите, это я виновата».

Водитель автобуса кричит Андронову: «До Волкана еще три мили!»

Владимир: «Спасибо».

Дверь автобуса захлопывается. Мэри уезжает. На шоссе остаются стоять только Вивиан и Владимир. Он кивает ей, улыбается. И озирается неуверенно.

Владимир: «Чудесный денек! Цветы. Птички. В таких местах три мили – приятная прогулка».

В его английской речи отчетливо звучит иноземный акцент. Вивиан моментально поворачивается к Владимиру. Он все еще дружелюбно усмехается. Непроизвольно она обращает впервые внимание на пейзаж. Да, здесь и впрямь много цветов. Поют птицы. Мягкий ветерок шевелит листву деревьев. И верно, ласковый денек. Она смотрит на Владимира, а он уже удаляется, шагая по дороге.

Вивиан: «Все-таки путешествовать пешком не столь приятно».

Владимир оборачивается.

Вивиан: «Идти три мили среди угольных разработок невесело и грязновато».

Владимир: «Мой отец был шахтером-угольщиком. Тяжелый труд, но благородный. Правильно?»

Вивиан подходит к нему настороженно, но чувствуя странное излучение от этого странно говорящего человека.

Вивиан: «Что же благородного в угледобыче?»

Владимир: «Уголь согревает, например, людей во время суровой зимы. Это ли не благородно?»

Вивиан подступает к нему, ощущая сильнее странное волнение.

Вивиан: «Никогда не думала об угле таким образом... Вы направляетесь в Волкан?»

Владимир: «Да, в город Волкан штата Западная Вирджиния».

Вивиан: «Волкан вообще-то не город…»

Она стоит рядом с ним. По его глазам она догадывается, что нравится ему. Владимир вновь улыбается.

Вивиан: «Вы русский?»

Владимир: «Да. Меня выдал акцент?»

Он не скрывает удовольствия от встречи с нею.

Вивиан: «Значит, вы Владимир Андронов!»

Владимир: «Сознаюсь в этом».

Вивиан: «Где же ваш эскорт? Ваша свита? Предпочитаете дешевый автобус?»

Владимир: «А вы одна олицетворяете городской комитет по приему гостей?»

Вивиан: «Вроде того».

Она указывает ему на «мерседес».

Владимир: «Прежде всего я хотел бы повидать мистера Спенсера и осмотреть мост».

Вивиан: «Меня зовут Вивиан Спенсер. Мой отец…»

Владимир: «Джеймс Джозеф Спенсер – примечательный человек. Смелый и дальновидный! Бросивший вызов собственному правительству ради блага земляков…»

Вивиан: «Он скончался, мистер Андронов. Мой отец мертв».

Владимир: «Простите меня, уважаемая леди. Я не слышу больше пения птиц».

Он целует ей руку. Она растрогана. Она надеется, что он искренен и честен. Он ей симпатичен. Они усаживаются в «мерседес» и едут лабиринтом окольных дорог к Волкану.

Как это было на деле

Описанные выше киносцены – плод голливудского вымысла. За исключением лишь жизненно достоверного факта: обитатели Волкана пригласили к ним приехать советского газетчика по фамилии Андронов. Но однофамилец голливудского персонажа не обладает ни фотогеничной внешностью, ни высоким ростом, ни импозантностью. Он среднего роста, щуплый, немолодой, поседевший, близорукий. Носит очки. Женат и не флиртует с иностранными леди. Таковы реальные факты.

Вымышлен в Голливуде и меценат Волкана по имени Джеймс Спенсер. Вымышлена его сентиментальная дочь Вивиан. Нет среди жителей Волкана и прототипов священника Свэна или престарелой Мэри Лоу. Вместо них обитают там другие люди нелегкой трудовой судьбы, которая свела меня случайно с ними и сдружила.

Что же касается мэра Волкана, то он, как я уже упоминал, не был копией голливудского мачо. Джон Робинет ни манерами, ни физиономией, ни осанкой не походил на облеченного властью провинциального босса. Робинет невысок ростом, тщедушен, бледен. Серые смышленые глаза – доброжелательные и усталые, окруженные сетью морщин. Он выглядит лет на десять старше своих пятидесяти. На нем застиранная непритязательная одежда. Говорит негромко, застенчиво.

Сначала я думал, что Робинет стушевался с непривычки от обилия обступивших нас напористых репортеров. Но позднее газетчик Дэвид Хесс, приехавший из Вашингтона, разъяснил в своем репортаже нервозность мэра Робинета: «В окрестностях Волкана кто-то распустил черный слух, что Робинет «подыгрывает коммунистам». Поблизости в Мэтеване даже угрожали по радио, что если русские построят мост, то его затем взорвут. Один из приятелей Робинета шутливо рассказывал о нем: «Джон нервничал, как беременная обезьяна на подломленной ветке». Сам Робинет признался: «Я был ужасно перепуган. Я не мог есть, спать, толково разговаривать. Я боялся, как бы не подстроили чего-нибудь плохого русскому журналисту». Однако большинство жителей Волкана одобрили приезд русского. А он своим поведением тоже успокоил нервы Робинета».

Но вернемся к первым минутам знакомства в Уильямсоне с мэром Робинетом.

В сопровождении репортеров он подвел меня к миниатюрному пикапу-вездеходу и сказал, что машину одолжил ему друг, чтобы привезти гостя в Волкан. Робинет промолвил:

– У меня своей машины нет.

– Верно, вы не получаете жалование мэра?

– Да, я выполняю обязанности мэра безвозмездно. Жителям Волкана не по карману содержать мэра.

– Кто же живет у вас в поселке?

– Всего две сотни шахтеров, их домочадцев, стариков-пенсионеров. Я же сдельно ремонтирую автомашины. Еще подрабатываю составлением для соседей разных юридических справок, документов, прошений. Отстаиваю в судах иски и ходатайства обитателей нашего поселка. За это мне дают кто три доллара, кто пять. А был я в прошлом шахтером, слесарем, чернорабочим. Попал в автомобильную аварию. Утратил частично трудоспособность. И больше не смог устроиться на постоянную работу. Мэром стал потому, что длительно хлопотал о строительстве дороги к Волкану и моста через реку. Без этого поселок обречен на гибель. Без моста Волкан, как говорят у нас, «хвост от ничего».

— Почему вы обратились к Советскому Союзу?

— Это наша последняя надежда. Мы просим уже три года построить нам мост. Обивали пороги чинуш вплоть до губернатора штата, но все зря. Я воззвал к милосердию президента Соединенных Штатов, но из Белого дома получил тоже письменный отказ. Наплевать нашим властям на жизнь простого люда! Они только распинаются о правах человека, а сами ничего для нас не делают!

Мы с Робинетом сели в пикап, а журналисты бросились к своим автомобилям. Отбыли из Уильямсона караваном в десяток машин. Проехали к югу миль двадцать по сносной дороге. Потом Робинет свернул к самому краю обрывистого берега речки Таг. От берега метрах в тридцати вздымались гранитной стеною гигантские скалы. Между ними и рекой по узкому карнизу берега тянулась железнодорожная одноколейка. А параллельно ей, но со стороны речного обрыва, шла размытая дождями проезжая тропа. На нее-то Робинет и вывел вездеход, прижимая машину к рельсам одноколейки.

— Тут ходят эшелоны с углем, — тревожно пояснил Робинет. — Если зазеваемся, то поезд налетит сзади и сшибет нас в реку. Но и без того тропа всегда скользкая, и машины часто падают вниз.

— А далеко до Волкана?

— Две мили.

— Значит, проехать к вам все же можно?

— Нельзя, — отрицательно мотнул головой мэр. — Запрещено. Сейчас сами убедитесь.

Метров через двести стоял столбик с прибитой к нему фанеркой, на которой я прочел: «Проезд воспрещен. Частная собственность Норт Уэстерн».

Робинет прокомментировал:

— И меня и вас могут арестовать за нарушение права собственности железнодорожной компании Норт Уэстерн. Ей принадлежит одноколейка и земля до обрыва над рекой. А мы с вами — злостные нарушители наиважнейшего американского закона. Частная собственность священна. Одноколейка проходит через Волкан, но жители не могут пользоваться ни ею, ни тропой.

Мэр рассказал, как по этой самой «запретной тропе» люди из поселка пробираются нелегально за продуктами, потому что в Волкане нет продовольственной лавки. И медпункта тоже нет, а когда кто-нибудь серьезно заболевает, то помочь человеку чрезвычайно трудно: сюда везти врача надо тайно, а на это не всякий доктор согласится. Да и риск велик: то ли поезд сковырнет машину в реку, то ли автомобиль сам туда свалится. А так как и школы в Волкане нет, то детвору отправляют на уроки в соседнее селение по той же опасной тропе. От страха за детей в непогоду матери держат ребятишек дома. Пусть останется, мол, ребенок полуграмотным, но зато живым.

До Волкана мы доехали без неприятностей. На плоском участке речного берега я увидел россыпь одноэтажных щитовых домиков и малогабаритных бараков, рассчитанных на одну семью. Такие хрупкие и легкие бараки называют в Америке «трейлерами»: их грузят на прицепы автотягачей и перевозят куда угодно. А здесь в поселке их перетаскивают с места на место во время частых наводнений. Из-за яростного нрава горной речки везде в Волкане хлюпает под ногами непросыхающая слякоть. Строения расставлены как попало, и ни одной улицы вообще нет. Поселок притиснут рекою к железнодорожному полотну, а за ним бугрятся сопки. Там на одном пригорке притулилось поселковое кладбище. Указав на него, Робинет обернулся к сопровождающим нас репортерам:

— Приходилось ли вам хоронить близкого человека, пропихивая почти ползком его гроб под вагонетками с углем? Почему человека лишили даже права на достойные похороны?

Мэр повел нас к своему жилищу — хлипкому дощатому трейлеру. Перед входом в него зеленела по-болотному большая лужа. Рядом на шесте висел звездно-полосатый американский флаг. Под ним два шелудивых блохастых пса терлись спинами, чесались и лениво тявкали.

Внутри барака стояла убогая мебелишка — обшарпанный шаткий стол, разномастные потрескавшиеся стулья, кособокая кушетка. На стене — картинка с изображением убитого президента Кеннеди. На тумбочке — томик библии. К раме окна была приколота искусственная гвоздика, алеющая сейчас у меня на подоконнике в Москве.

Заполнившие барак репортеры наперебой забрасывали мэра вопросами. Он повторял:

— Моя цель — выручить односельчан из беды. Наша страна богата, но власти не захотели нам помочь. Мы тут долго мучились и униженно просили власти пожалеть нас. Я лояльный гражданин и патриот. Я люблю свою страну и предан ей абсолютно. Если понадобится, я пожертвую жизнью за свободу и честь нашего народа. Но теперь я утратил веру в наше правительство. Оно же клянется, что отстаивает права простых людей – в отличие от русских коммунистов. Так давайте и это проверим! До сего дня в нашем захолустье мы не встречались с русскими. Но слышали, что они помогают чужим нуждающимся нациям строить дороги, мосты, плотины, заводы. И мы будем им вечно благодарны, если они подсобят рабочему люду в Волкане построить незамысловатый 70-метровый мост. Пора проучить наших бездушных политиканов!

Весь вечер и полночи в трейлере мэра трезвонил телефон. У нас с Робинетом беспрестанно требовали интервью редакторы газет, радио и телестудий со всех концов США. Америка вспомнила наконец о забытом на ее задворках безвестном поселке. И лишь тогда, как черствая мачеха, заметила пасынка, когда он осмелился поведать о своих горестях далекой Москве. Это вызвало удивление, и досаду, и стыд, и болезненную самокритику, и попреки властям. Сутки из аппалачского Волкана фонтанировало в эфир и на страницы газет подлинное словоизвержение.

Припоминая тогдашнюю суматоху, я перебираю ныне дома стопку вырезок из нью-йоркских, вашингтонских и прочих газет и журналов с корреспонденциями о небывалом поступке мэра Волкана. За одну ночь его имя прогремело по Соединенным Штатам, Канаде, Западной Европе, а утром он проснулся новоиспеченной знаменитостью. Издающаяся в Хантингтоне газета «Геральд-диспетч» сложила даже о Робинете сказку для взрослых:

«Жил-был однажды на окраине Западной Вирджинии в деревеньке Волкан очень бедный и добренький мэр. Он прозябал холостяком в прохудившемся трейлере на курьих ножках, так как наводнение слизнуло начисто его прежний домик. Унесла река и мостик возле его жилья. А мэр принялся мечтать, как бы построить опять мостик. Он постоянно мечтал о мостике. Но его сочли вздорным мечтателем все солидные господа. И тогда он стал даже мечтать об иностранной помощи из России. Он так усиленно о том мечтал, что как-то раз – бах! трах! бум! – русский журналист возник перед ним, дабы посодействовать претворению его мечтаний в жизнь. Неплохое начало для сказки? Она, однако, началась вчера наяву в Волкане. Да только у этой сказочки нет еще конца. А когда ему настанет час, то изменится ли что-либо в Волкане благодаря визиту красного русского? Или нет? Получит ли деревенька на речке Таг новый мост или лишь новые обещания?»

Продолжение киносказки

Ну что же, после иронической присказки «Геральд-диспетч» вполне кстати позабавить снова читателя прерванной голливудской киносказкой «Мост для Волкана». И сличить, чем заморские сказки не похожи на быль. Но я, простите, слишком заболтался: из кожаной обложки американского сценария уже вынырнул – Бух! Трах! Бум! – мой сказочный однофамилец-жуир вместе с обворожительной мисс Вивиан в шикарном красном «мерседесе». Приготовьтесь к мелодраме. Начало! Кадр!

В кадре – «мерседес» едет медленно по заросшей бурьяном грунтовой дороге, которая утыкается на речном откосе в руины моста. Искореженные обрубки его скелета, как всегда, темнеют мрачно над голубой стремниной вод. Машина останавливается. Из нее выходят Владимир и Вивиан. Она молча указывает ему на останки моста. Владимир, взглянув небрежно на мост, смотрит на Вивиан.

Вивиан: «Каково же ваше мнение?»

Владимир: «Я полагаю, что вы очаровательны».

Вивиан сварливо: «Я спросила вас о мосте».

Владимир: «Я понял это. Но мост – всего лишь мост. А вот такие люди, как вы, ваш отец…»

Вивиан: «Мой отец! Я же говорила вам уже по дороге сюда, что мой отец, обратившись к вашему правительству, хотел, несомненно, устыдить наши власти… От них он не смог добиться помощи, и потому он…»

Владимир: «Он превыше всего заботился о бедных людях. И вы тоже теперь…»

Вивиан: «Нет! Меня это не касается. Послушайте, мистер Андронов, я пробуду здесь только несколько дней! Улажу дела с отцовским наследством и уеду. Я живу в Лос-Анджелесе! Там моя работа. Там моя жизнь!»

Владимир: «Что же будет здесь с близкими вам людьми?»

Вивиан: «Да они мне ничуть не близкие! Во всем округе я почти никого не знаю. Я не была тут двадцать один… очень долго! С тех дней, как окончила школу».

Владимир: «Мне сорок шесть».

Вивиан: «Ну и что? Какое это имеет отношение к мосту? Или желаете услышать от меня, что вы выглядите моложе вашего возраста?»

Владимир: «Вам тридцать восемь. А выглядите вы гораздо моложе вашего возраста».

Вивиан не может сдержать улыбки. Они стоят совсем рядом, говорят вроде бы о мосте, но истинный подтекст их слов ясен обоим. У мертвого, истлевшего моста – живые Мужчина и Женщина, которых влечет друг к другу.

Вивиан: «Вы хотели, мистер Андронов, осмотреть мост. И уже завершили, кажется, ваше так называемое «предварительное ознакомление»?

Владимир: «Да, сегодня мне больше нечем у вас заняться».

Вивиан: «Вот как? Я думала, что вы после нелегкой дороги расположитесь на отдых, захотите принять душ...»

Владимир: «Не откажусь, конечно, если предложат».

Только сейчас Вивиан осознает, что означает это. В смятении она смотрит на Владимира. Он улыбается. Она смущена, но тем не менее...

В кадре – дом Спенсеров. Вивиан ведет Владимира по холлу к лестнице наверх. Он несет саквояж.

Вивиан: «Наверху первая комната слева – ванная. Справа – ваша спальня».

Владимир: «Простите, если бы в поселке была гостиница...»

Вивиан: «Ее нет. До ближайшей – тридцать миль. Не извиняйтесь. Все в порядке».

Владимир: «Но в таком маленьком городе, как Волкан, молодая женщина и мужчина под одной крышей...»

Вивиан: «Чепуха. На исходе XX век, а не девятнадцатый».

Владимир поднимается по лестнице, поглядывая на Вивиан и улыбаясь. Она задумчиво уходит в гостиную.

В кадре – кухня. Вивиан готовит ужин. Она стоит у плиты, размешивает что-то в кастрюльке, сыплет туда зеленый горошек из консервной банки. Стряпня пахнет неаппетитно. Вивиан морщится с отвращением. Владимир появляется в дверях кухни. Молча смотрит на Вивиан. Она чувствует его присутствие и поворачивается к нему.

Вивиан: «Боюсь, что мое угощение не будет первоклассным. Отыскала тут лишь старые консервы».

Владимир: «Ваш отец, видимо, не был гурманом».

Он подходит к плите, заглядывает в кастрюлю.

Владимир: «Как далеко ближайший ресторан?»

Она гасит конфорки на плите.

В кадре – сарай, оборудованный под закусочную для водителей грузовиков. У стойки шоферы торопливо жуют бутерброды. Никелированный ящик хрипло извергает джаз. Вивиан и Владимир сидят за отдельным столиком. Владимир озирается с критической миной.

Владимир: «И это все, что есть поблизости?»

Вивиан: «Ничего иного до Чарльстона, столицы штата. Между прочим, я считала, что вы не прочь отпробовать пищу среднего американца. Простого человека».

Владимир: «О, да».

Вивиан: «Вы, оказывается, не такой, как я предполагала. Мне не приходилось еще встречать коммуниста с партбилетом».

Владимир: «Ожидали, что я совершенно не такой, как вы?»

Вивиан: «Ну, не совершенно…»

Владимир: «Когда американец приглашает привлекательную леди поужинать, то разве он ведет ее в подобное заведение?»

Вивиан: «Маловероятно, но…»

Владимир: «И в России для таких случаев выбирают место, где подают хорошее вино и играют хорошие музыканты. Совершенно не так, как у вас?»

Вивиан: «Нет. Извините».

К ним подходит вразвалку неопрятная официантка, мусолит испачканной тряпкой столик, шлепает на него помятое меню.

Владимир: «Что заказать вы порекомендуете лично?»

Официантка ошарашенно: «Порекомендовать?»

Владимир: «Если бы вы пришли сюда с дружком, то что заказали бы?»

Официантка: «Хи-хи. Я бы тогда, честно говоря, порекомендовала смыться отсюда. Но коли уж вы здесь, то возьмите свинину на ребрах».

Владимир смотрит на Вивиан. Она пожимает плечами, кивает. Владимир переводит взгляд на официантку. Та взирает на него игриво.

Владимир: «Мы целиком в ваших руках».

Официантка: «Скажу по секрету, не ешьте нашего картофельного пюре. Подам вам свинину с бобами. И пива?»

Владимир: «Замечательно».

Официантка подмигивает ему заговорщицки и удаляется, колыхая толстыми бедрами.

Вивиан: «Вы обходительны».

Владимир: «Точнее, вежлив».

Вивиан: «Вы дипломат?»

Владимир: «Я не связан официально с моим правительством. Я журналист».

Вивиан: «Ха, журналист!»

Она явно не верит ему.

Владимир: «Я пишу статьи для русских газет и журналов. А теперь опишу историю с вашим мостом… Кроме того, меня командировал в Волкан наш «Фонд мира».

Вивиан: «Ловко придумано».

Владимир: «Меня попросили установить, нужна ли вам всерьез помощь «Фонда мира».

Вивиан: «Выходит, вы ведете расследование?»

Владимир: «Мне надлежало выяснить, правдиво ли письмо вашего отца или нет».

Вивиан: «Вот оно что! Расследование! Или шпионаж?»

Владимир: «Письмо вашего отца требовало расследования. Так же поступило бы и ваше правительство. Мое начальство не хотело бы оконфузиться, если бы письмо оказалось розыгрышем».

Вивиан: «Вы специалист по части иностранных интриг?»

Владимир: «Насмотрелся всякого… А почему вы не замужем?»

Вивиан: «Что?»

Владимир: «Вы красивая и умная женщина. Полемизировать с вами – наслаждение».

Пауза. Вивиан порывается высмеять комплименты Владимира, но не находит слов.

Вивиан: «Ведь мы говорили о мосте!»

Владимир: «Я думал все время о вас».

В этот момент возвращается официантка с тарелками в руках. Она интуитивно распознает смысл происходящего. И тихо отходит.

В кадре – снова кухня. Утром следующего дня Вивиан готовит завтрак. На подставке у плиты разложены свежие продукты. Стол сервирован на двоих. Входит Владимир.

Владимир: «Доброе утро! Что же вы не разбудили меня?»

Вивиан: «Вы похрапывали так мирно».

Владимир: «Было слышно сквозь дверь?»

Вивиан: «Я подумала, что так храпят, наверное, речные шкипера на вашей Волге. По-русски».

Владимир: «Когда со мной кто-нибудь рядом, то я похрапываю по-французски».

Вивиан: «Ваша жена – языковед?»

Владимир: «Она научный сотрудник одного института в Новгороде».

Вивиан: «А я неплохая стряпуха, когда есть из чего готовить. Сегодня – ветчина и яйца».

Владимир: «Моя супруга тоже искусная повариха. Но у нас с ней сложилось так, что мы все реже видимся».

Вивиан: «А дети?»

Владимир: «Их двое. Оба уже почти взрослые. Что еще обо мне интересует вас?»

Вивиан: «В каком виде вы предпочитаете яйца – на сковородке, крутые, всмятку?»

Владимир: «Все равно как, но с вами».

Они смеются и завтракают.

В кадре – по улице Волкана идут Вивиан и Владимир.

Вивиан: «Что дальше?»

Владимир: «Мне надо потолковать с жителями поселка. Об их проблемах, делах, надеждах. Услышать от них лично, почему двухлетние хлопоты вашего отца о восстановлении моста были безрезультатны. Мне нужна для статьи информация из первых уст».

Вивиан: «Достаточно будет этой статьи, чтобы ваши власти решили – построить тут мост или нет?»

Владимир: «Решать предстоит «Фонду мира». Но на основании пожеланий и просьб ваших земляков».

Навстречу им по улице бредет старик. К нему подходит Владимир, здоровается, разговаривает. Потом он останавливает других прохожих – домохозяйку, молодого шахтера, пожилого фермера, трех подростков. Эти встречи затягиваются на несколько часов, и солнце уже клонится к закату, когда Владимир и Вивиан, оставшись опять вдвоем, подходят к разрушенному мосту. Владимир и уставшая Вивиан смотрят на развалины.

Вивиан: «Да или нет?»

Владимир глядит на нее вопросительно.

Вивиан: «Будете ли вы рекомендовать вашим построить мост или не будете?»

Владимир: «Буду».

Вивиан: «С этим, значит, покончено. В конце недели я возвращаюсь в Калифорнию».

Владимир придвигается к ней, берет ее за плечи, притягивает к себе. Она не отстраняется, но и не тянется к нему.

Владимир: «Я счастлив. Нам хорошо вместе. Почему же вы, входя в дом, закрываете дверь вашей комнаты?»

Вивиан: «Иногда мне хочется открыть ее».

Владимир целует Вивиан. Она не отстраняется. Приподнимает руку обнять его и сразу же опускает. Он огорченно отступает от нее.

Владимир: «Вы опять захлопнули дверь».

Вивиан: «С детства я запомнила старинную песенку здешних горцев-лесорубов. Они поют: «Мы с тобою, милая, в разных двух мирах. Твоя жизнь красивая. Я мыкаюсь в горах».

Владимир: «Я думал, что вы поняли – оба мира не столь уж разные…»

Вивиан: «Я связана с одним человеком в Лос-Анджелесе».

Владимир: «Он собирается жениться на вас?»

Вивиан: «Мы жили с ним то совместно, то порознь. Попытаемся, быть может, испробовать супружество».

Владимир: «Я уже попытался раз, но неудачно. И только теперь…»

Вивиан смотрит на него. Она ожидает, что он спустя минуту примется, как обычно, шутить и посмеиваться. Но он серьезен.

Вивиан: «Я не оставила мою дверь открытой, так как не знала, смогу ли потом ее опять закрыть».

Позади них вечернее солнце закатывается за гребни гор. Сумерки окутывают обломки моста и нечеткие силуэты двух людей.

В кадре – зал, некогда спортивный, а ныне танцевальный по праздникам. Оркестранты наяривают простонародный джаз. Пляшут девушки, парни и почтенные сельчане. Их незамысловатые па Вивиан демонстрирует Владимиру, а он быстро их усваивает. Вивиан и Владимир танцуют самозабвенно. Он в джинсах и клетчатой рубахе, как и местные жители. Он мастерски управляет партнершей, крутит ее, вращает, подхватывает. Потом начинает импровизировать на русский народный манер. Остальные танцоры расступаются и восторженно наблюдают. Владимир с его послушной напарницей проносятся по залу то вихрем, то плавно, то отбивают искрометную дробь каблуками. Музыка смолкает. Зрители щедро аплодируют. Владимир и Вивиан, держась за руки, весело раскланиваются. Мужчины обступают Владимира, поздравляют, похлопывают его по спине.

Голоса: «Здорово!.. Вот это танец!.. Русский стиль!.. Браво!.. Еще, еще!.. Покажите мне русские приемы... Держу пари, что он из русского балета!»

Владимир: «Благодарю! Но я не профессиональный танцор...»

Музыканты тоже приветствуют его, и он подходит к ним.

Владимир: «Могу ли я...»

Шеф оркестра: «Тихо! Послушайте мистера Владимира!»

Владимир: «Спасибо. Благодарю за ваше гостеприимство и дружелюбие!»

Новый взрыв аплодисментов.

Владимир: «Я был мальчуганом во время войны, но мой отец рассказывал мне о товарищеской дружбе с американцами, которых он повстречал в Германии после разгрома нацистов...»

Поощрительные возгласы.

Владимир: «Потом отношения между нашими странами испортились...Но сейчас, благодаря замечательной инициативе вашего сородича мистера Спенсера и его дочери... Мы сделаем, возможно, шаг на пути к тому, чем так дорожил мой отец».

Аплодисменты.

Владимир: «И в этот вечер в знак моей благодарности вам...»

Он просит у оркестранта скрипку. Начинает играть. Раздаются магические звуки: старая русская классика – огненная, романтическая, страстная. Слушатели околдованы. Двое стариков берутся за руки. Парень перестает терзать зубами жевательную резинку. Глаза Вивиан увлажнены. А скрипка волшебно поет о чем-то божественно прекрасном, о счастье, неге, любви. И это уже не кажется Вивиан, как ранее, немыслимым.

Владимир опускает скрипку. Молчание. И гром оваций. Люди окружают Владимира, обнимают его, загораживают от Вивиан. Улыбаясь, она отходит в сторону от толчеи. Ее лицо преображено как бы внутренним светом.

В кадре – дом Спенсеров. В полутемной комнате – Вивиан и Владимир. Он гасит сигарету, обнимает Вивиан.

Владимир: «Я люблю тебя».

Вивиан: «И я люблю тебя. Но запах этих ужасных сигарет...»

Владимир: «Русские сигареты не вызывают рака. Хотя они могут непривычного к ним задушить насмерть. Я люблю тебя».

Вивиан: «Скажи это по-русски».

Владимир по-русски: «Я люблю тебя».

Вивиан: «Пожалуйста, и по-китайски…»

Негромкий смех замирает. Комната погружается во тьму.

В кадре – спальня Вивиан. Лунная ночь. Вивиан спит одна. Сквозь сон ей слышится отдаленное завывание полицейской сирены. Вивиан раскрывает глаза. Проводит рукой возле себя по постели. Никого. Вой сирены нарастает.

Вивиан: «Владимир? Милый?»

Ответа нет. Вивиан накидывает халат, подходит к окну. Рев сирены усиливается.

Вивиан спускается по лестнице в холл, отворяет дверь на улицу. Видит неподалеку Владимира. Он успел надеть костюм. Стоит спиной к Вивиан. А по улице движется колонна автомобилей. Впереди – полицейская машина с включенной на полную мощь сиреной. Разбуженные жители выбегают из своих домиков.

Вивиан: «Владимир! Владимир!»

Он не слышит ее. На улицу высыпали полуодетые, заспанные, кричащие люди. Они показывают друг другу на вереницу машин. Это военные джипы! В передовом автомобиле – американские солдаты с карабинами. В остальных джипах – иноземные солдаты в зеленых фуражках с пятиконечными красными звездами. Это саперы русских инженерных войск! Владимир вскидывает руку, саперы ему салютуют и помогают вскочить в их головной джип…

Отверженные

Стоп! Антракт. Как было обещано, читатель позабавился и сейчас, очевидно, снисходительно ухмыляется: жаркая любовь по-голливудски, горячие объятия, бесшабашные пляски и ночные лобзания с привкусом крепких сигарет вдруг увенчались цирковым десантом русских саперов в американских Аппалачах! Потешная выдумка? Балаганный аттракцион? Безобидная кинооперетка? Да нет. Голливудский сценарий выставляет на авансцену советских солдат вовсе не ради смеха.

И вовсе не ради красного словца по поводу визита настоящего московского газетчика в Волкан местная газета восклицала: «Русские идут!» И не случайно о том же столичная «Вашингтон стар» начинала свой репортаж с аналогичного давнего пароля антисоветской истерии: «Русские идут! Русские идут!» И тоже неспроста мой однофамилец-сердцеед из Голливуда не сумел полностью охмурить бдительную мисс Спенсер, которая заподозрила его в шпионаже. А он вконец себя разоблачил, когда ночью ускользнул от спящей возлюбленной, натянул тихо костюмчик, зная загодя о приближении русских войск, и стремглав бросился к ним, чтобы нахально возглавить их блицпоход в Волкан. Хоть эта сказочка – вздор, да в ней, как говорится, намек – добрым молодцам урок. То бишь киноурок американскому обывателю.

А в действительности вломились бесцеремонно в Волкан и переполошили поселок не русские солдаты, а нахрапистые репортеры американской прессы. Они заполночь слонялись шумной ватагой от дома к дому, стучали в окна и двери, выпытывали отношение жителей к затее мэра с мостом, околачивались в бараке Робинета. Ему и мне удалось задремать лишь перед рассветом. Утром же мы пошли к мосту.

На речном берегу уже поджидали нас спозаранку десятка три женщин и мужчин деревенского обличья. Я поздоровался с ними, а они, сдержанно ответив, рассматривали меня с нескрываемо жадным любопытством и одновременно с опаской. Еще бы! Диковинней невиданного «снежного человека» был для них, как марсианин, русский газетчик. При виде его они невольно оцепенели и настороженно сдвинулись плотнее. Из их онемевшей толпы выкатился навстречу мне лишь маленький бойкий мальчишка:

– Вы, сэр, взаправду русский?

– Да, милорд. А ты стопроцентный янки?

– Мамми! – взвизгнул карапуз. – Я стопроцентный?

В толпе засмеялись. Лед отчужденности был сломан. Мэр провозгласил:

– Давайте вместе покажем ему наш поломанный мост!

Мы гурьбой вступили на речной обрыв, заросший диким бурьяном. В гуще сорняка горбились покрытые мхом четыре цементные глыбы. Это все, что осталось от береговых опор рухнувшего в реку старого моста. Обитатели поселка наперебой объясняли мне, что их мост был пешеходным, канатным и простоял здесь более полувека. За этот срок он катастрофически обветшал от ливней, ураганов и наводнений, подмывавших под ним речной откос. А местные власти не ассигновали ни доллара на ремонт моста. Его кустарно чинили сами сельчане, подпирали бревнами, скрепляли проволокой и веревками, но залатанный кое-как мост продолжал расползаться. И в половодье три года назад рухнул в речку Таг. С той поры они впустую выпрашивают аварийную помощь у властей Западной Вирджинии.

Робинет и его соседи подавленно сгрудились у останков их исчезнувшего моста. За неширокой горной рекой на противоположном берегу виднелась асфальтированная дорога. По ней проскальзывали легковые машины и грузовики. Там между шоссе и рекою теснились барачные домики. От них до нас расстояние было примерно метров шестьдесят. Но на том берегу по крайней мере люди жили без каждодневного страха перед отправкой детей в школу, без паники могли вызвать врача к захворавшему сородичу, не пробирались украдкой за продуктами по запретной для них тропе, не падали с нее в реку. А возле меня хмуро стояли изгои самого процветающего капиталистического государства. Там, за рекою, и здесь, в поселке-мышеловке, была одна и та же земля, одна и та же социальная система, одна и та же страна – Соединенные Штаты Америки.

Робинет принялся знакомить меня с односельчанами. Один из них – пожилой шахтер Уильям Маунтс – приковылял на костылях к берегу. Маунтс стал инвалидом после обвала в шахте. А до того был вместе с мэром неустанным ходоком по кабинетам здешних чиновных вельмож, которых тщетно уговаривал восстановить мост для населения Волкана. Маунтс сказал:

– Теперь, на костылях, я уже не могу слоняться по резиденциям наших правителей. Да и не вижу больше проку в мольбах к властям. Мой друг Джон разумно сделал, что вас пригласил. Мы одобряем, что Джон пожаловался русским. У людей ожила угасшая надежда на новый мост.

К нему присоединилась преклонных лет домохозяйка Мира Холли:

– Очень хорошо, что вы приехали. А то ведь нашим сетованиям никто не внемлет. Если бы вы знали, как плачут наши женщины, отправляя детвору в школу! На этом дьявольском пути вдоль железной дороги недавно попала под поезд девочка Мэри Аллес. Ее мать от горя померла, а когда она была при смерти, то мы не могли дозваться сюда доктора. У нас двое мужчин сорвались с откоса в реку и утонули. И такое происходит не впервые. Кого еще нам придется хоронить?

В разговор вмешалась молодая крепильщица с угольной шахты – рыжекудрая и миловидная Линда Мэнн:

– Два раза в сутки я пробираюсь из Волкана на шахту и обратно. Однажды в дождь я поскользнулась на прибрежной тропе, упала вниз с обрыва, но успела ухватиться за куст и только потому не утонула. Река у нас горная, вода ледяная, в ней вмиг окоченеешь. Мы поддерживаем действия мэра. Он старается сейчас выручить поселок с вашей помощью. Просим вас – посочувствуйте нам...

С реки мы направились опять к бараку Робинета. Туда набилась уйма народу – и стар, и млад. Дети вели себя смирно, глядя любознательно на заокеанского гостя. Взрослые пили чай с галетами. Мэр показывал мне разукрашенные гербовыми печатями ответные письма ему губернатора штата и президента США с изысканно вежливыми отказами заново отстроить рассыпавшийся мост. Здоровенный богатырь-шахтер Оскар Холли гневно рассказывал:

– Моя сестра Мира, я и еще семеро обошли все учреждения штата, разнося наши поселковые петиции о постройке нового моста. Трижды мы добивались приема у прежнего губернатора Арча Мура. Потом поехали опять в столицу штата к нынешнему губернатору Джею Рокфеллеру, а он распорядился нас прогнать. И сам президент не пожелал за нас заступиться. Кого же еще просить? Верно наш мэр сообразил обратиться к русским рабочим, к их правительству!

Почтальонша Филлис Бленкеншип добавила:

– Помню, как нас надул губернатор Мур. Мы пробились к нему вдевятером делегацией от Волкана. Губернатор нас выслушал, обласкал, обнадежил. В нашем присутствии он схватился за телефон и рявкнул кому-то: «Я приказываю построить этот мост немедленно!» Мы ушли от него успокоенные и довольные. Добились своего! А он нас обманул, обжулил. Ничего по телефону никому не приказывал, а только разыграл перед нами обманный трюк. Уловки и отказы властей нам осточертели. Не от хорошей жизни просим русских о помощи, а с отчаяния.

Когда посетители мэра разошлись, он позволил мне расположиться в отдельной каморке его барака, где я принялся записывать в блокнот все увиденное и услышанное. Делая наскоро заметки, я услышал из-за перегородки металлические щелчки. Выглянул из своего закутка и увидел Робинета у стола перед пишущей машинкой. Он неумело тыкал двумя пальцами по неподатливым клавишам. Поворотившись ко мне, вымолвил:

– Хочу отправить письмо в Москву. Сдается мне, что мою телеграмму в Россию здесь перехватили и не отослали. Она была, впрочем, слишком лаконичной, чтобы уяснить, почему наш последний шанс – русская помощь. Пытаюсь это описать. Но вразумительно не получается. Как объяснить русским, чтобы они поняли? Можете помочь?

– Не могу, – ответил я. – Такое письмо полагается составить вам целиком самостоятельно. Тут мне встревать никак нельзя.

– Да ведь я плохой грамотей, – проворчал он. – Даже школы не закончил. И не знаю, какими словами разжалобить русских руководителей.

– А вы не мудрите, – сказал я. – Бесхитростные слова рабочего человека всегда понятны.

Я ушел от него за перегородку, и потом еще долго доносилось до моего слуха приглушенное тук-тук-тук.

Заглянул я к нему вновь и бесшумно отпрянул назад: он, отстукивая письмо и не замечая меня, утирал слезы. Вот такое нелегкое, стало быть, оказалось то послание. Судите сами:

«Москва. Кремль. Дорогому мистеру Брежневу.

Уважаемый Председатель Советского Союза, мое имя Джон Робинет. Я живу в американском штате Западная Вирджиния. Я бедный рабочий человек, а сейчас – безработный. Мой отец – шахтер-угольщик. Хочу сразу Вам сказать, что никогда не писал я таких писем, как это письмо к Вам, а потому, если можно, будьте ко мне снисходительны. У меня в жизни есть только одна забота – люди в общине, где я живу. Попытаюсь Вам объяснить, какая это община.

Мы очень бедные. Мы живем на берегу речки Таг. Вдоль нее проложена железнодорожная ветка. Мужчины из нашего поселка трудятся на окрестных шахтах. А чтобы от шахт до нас доехать, надо пробираться две мили вдоль железнодорожного полотна, но там путь нам закрыт владельцем железной дороги – компанией Норт Уэстерн. Все же мы пробираемся этим путем за едой, потому что нет у нас в поселке продуктовой лавки. Но даже возить еду и всякий скарб нам запретили. Компания расставила повсюду знаки: «Проход запрещен». И так вот возим незаконно наших детей в школу. А за врачом надо ехать 26 миль. Часто я дивлюсь: как это железнодорожная компания сумела забрать себе такую власть, что может даже жить людям запретить?

Я упрашиваю власти нашего штата: помогите построить дорогу или мост через речку для существования нашей общины. Писал я об этом и местным чиновникам, и самому президенту, а от них получал всегда один ответ: «Извините, нет на то для вас денег».

Поэтому ныне я умоляю Вас и трудовой люд Вашей страны, чтобы обсудили вы меж собой – нельзя ли как-то нам помочь? И не знаю я, как правильно написать Вам об этом, и все же надеюсь, что Вы меня поймете. Обещал раньше наш прежний губернатор построить нам мост. Потом новый губернатор объявился и даже посулил он меня принять, но теперь к нему меня не допускают. Просил я также федеральные власти о подмоге, а они снова в ответ: «Извините, нет денег».

Да я же прошу не за себя, а ради наших детишек и стариков! Страшно они бедствуют. Если бы Вы приехали к нам, то сами все своими глазами увидели бы и сердцем почувствовали. Мне же описывать нашу жизнь непривычно, и я не знаю, какие слова подобрать. Скажу, однако, Вам и Вашему народу, что сердце мое кровью обливается, когда вижу, как люди у нас страдают и помирают. Что ж, бежать нам надо, выходит, отсюда? Да ведь здесь наш родной дом, где мы родились, выросли и собираемся в землю лечь. Старики говорят: «Чем покидать наш край, так уж лучше пусть нам хоть сегодня тут ямы выроют и в них закопают». И денег у нас нет на переезды и обзаведение на новом месте. Куда деться, к примеру, Полли Харли, ежели ей 94 года? Разрывается у меня душа. И другие жители так же мучаются. Плохо нам, очень плохо без моста.

Уповаю, что все это Вы разъясните своему трудовому народу, а он нас поймет. По всему миру много таких рабочих людей, и я сам один из них. Простите за корявый слог. Пишу от всего сердца, стараясь затронуть Ваше сердце. Молю за наших людей, которых беспредельно люблю. На этом заканчиваю и желаю Вам, Вашему народу и моему народу жить вечно в мире и согласии.

От всей души
Джон Робинет
Западная Вирджиния, Волкан».

Завершив письмо, мэр позвал меня и начал вслух зачитывать написанное. Но до конца не успел прочесть: по входной двери барака заколотили кулаками. Это опять примчались американские репортеры. Они, хохоча, выкрикивали:

– Новость! Потрясающая новость! Радио и телевидение транслируют из Чарльстона пресс-конференцию тузов администрации Рокфеллера. Власти объявили, что экстренно построят новый мост для Волкана! Советуют русскому журналисту поскорее убраться восвояси!

Дальнейшее перескажу цитатами из американских газет. На следующее утро «Геральд-диспетч» сообщила:

«Как только весть о намерении нашего губернатора достигла Волкана, мэр Робинет напоказ сплюнул и заявил:

— Население моего поселка наслушалось сполна пустословных обещаний. Им мы не верим. И я поверю, быть может, только при непременном условии, что увижу подписанный губернатором официальный документ о строительстве моста».

Заглавный абзац депеши в «Нью-Йорк таймс» гласил:

«Находящийся в поселке Волкан русский журналист утверждает, что влиятельная сила советской прессы вынудила власти штата Западная Вирджиния помочь этому маленькому населенному пункту заполучить новый мост».

Столичная газета Западной Вирджинии «Санди Газетт-мейл» в репортаже из Волкана оповестила:

«В этой захудалой общине на юге Западной Вирджинии люди теперь узнали секрет, как для их блага международная политика способна разродиться иностранными мостостроителями. Один старожил Волкана вчера изрек:

— Если хочешь у нас добиться чего-либо от властей, то отныне надо, как я считаю, попросить об этом русских. Удостоверьтесь наглядно: мы зря упрашивали власти соорудить нам мост до того дня, как приехал сюда русский парень. А после этого наши власти вспомнили о нас: «Хотите мост? О`кей!»

Между тем тот русский в Волкане вчера посмеивался:

— Ну-ка разгадайте — почему внезапно посулили поселку новый мост?

Он выразил также удивление тем, что столь богатая страна, как Соединенные Штаты, обрекла некоторых своих граждан на жалкое прозябание. С Андроновым солидарна жительница поселка Лула Тайгарт. Она говорит:

— До приезда сюда этого русского мы безуспешно упрашивали свои власти построить нам мост. Сейчас они дали обещание. А все же я не верю, что они соорудят для Волкана мост. Ранее они уже это сулили во время предвыборных кампаний. И вновь пообещали из-за приезда русского. После его отбытия все останется, наверное, без перемен. Жаль, конечно. И еще прибавлю, что этот русский — отзывчивый и доброжелательный парень. Если бы было на свете побольше добрых людей, то жили бы все люди лучше.

Почтмейстерша Филлис Бленкеншип тоже сказала, что власти, обеспокоенные визитом Андронова, пообещали только по этой причине восстановить мост. Она рада такому исходу».

Однако мэр Робинет, расставаясь со мной, не радовался своей победе:

– Предвижу, что после вашего отъезда нас постараются одурачить. Не забывайте Волкан. Сообщите обо всем увиденном в Москву. А я туда пошлю свое письмо. Его копию сберегите на всякий случай. Что бы впредь ни произошло, нам не обойтись без вашей моральной поддержки.

Голливудский хэппи-энд

А теперь в преддверии моего эпилога – концовка голливудского сценария.

В кадре – едущие по Волкану русские саперы. Они помогают Владимиру вскочить в их головной джип. К нему подбегает Вивиан.

Вивиан: «Владимир! Что происходит? Откуда взялись эти солдаты?»

Владимир: «Товарищи, это мисс Вивиан Спенсер. Познакомься, Вивиан, с полковником Нестеровым. А это капитан Антокольский, товарищ Левитан, товарищ Суриков».

Вивиан: «Ничего не понимаю. Ты же еще не отослал в Москву отчет с твоими рекомендациями».

Владимир: «Но заранее было предусмотрено, что мой отчет должен содержать также техническую характеристику стройки нашими специалистами».

Солдаты по-русски: «Здравия желаем, прелестная сударыня! А нет ли у вас, го-го-го, сестрички?.. Экая, глянь, сдобная бабенка!»

Вивиан, уловив смысл солдатских реплик, запахивает потуже халат.

Владимир: «Извини, мне необходимо отлучиться. Позавтракай без меня. Позже я вернусь».

Вивиан: «Но как же? Я думала…»

Владимир: «Выпей побольше кофе! Это поможет!»

Джип уносит Владимира от Вивиан, русские саперы машут ей фуражками, шутовски пихают локтями друг друга и Владимира. Вивиан провожает взглядом громыхающую мимо нее автоколонну. Сбоку от машин вертятся ребятишки, счастливо вопя. Растревоженные жители стекаются к Вивиан.

Голоса: «Что стряслось?.. Это вторжение!.. Русские диверсанты!.. И китайцы, как я слышал, тоже надвигаются!.. Жуть!.. Они едут к мосту!.. Мисс Вивиан, что творится?»

Вивиан: «Не паникуйте! Все нормально».

Мужчина: «Они построят нам мост?»

Вивиан: «Откуда мне знать!»

Женщина: «Ваш отец был сведущ во всем...»

Вивиан: «И я разберусь. И растолкую вам. А пока утихомирьтесь! Все будет в порядке. Потерпите. Мне надо переодеться».

Она уходит в дом. Люди озабоченно смотрят ей вслед.

В кадре – речной откос у моста. Русские установили армейские палатки. Саперы обследуют предмостную площадку. Расставили геодезическое оборудование. Изучают местность через оптические приборы на треногах. Фотографируют. Обшаривают каждый клочок берега. Туда подкатывают все новые джипы. Американские полицейские сдерживают напор толп зевак. Среди русских расхаживает Владимир, разговаривает с ними на их языке, показывает им остатки старого моста.

Через толпу любопытствующих продирается с трудом Вивиан. Ее задерживают полицейские, и она спорит с ними ожесточенно. Подходят русские солдаты. Разгорается перебранка. Услышав галдеж, Владимир замечает Вивиан.

Владимир: «Эй, сержант, пропустите ее!»

Стоящий возле Владимира военный инженер Суриков подмаргивает ему насмешливо. Они подходят к Вивиан.

Вивиан: «Мне нужно, Владимир, поговорить с тобой наедине».

Владимир: «Изволь. Суриков не понимает английской речи».

Суриков догадливо: «Политика и мосты возникают и умирают! Но любовь извечна! Вы прекрасны, мисс, как восход солнца над морем».

Вивиан: «Что он сказал?»

Владимир переводит галантную тираду русского на английский.

Вивиан: «Мерси. Но мне надо поговорить с тобой без посторонних».

Сообразительный Суриков отходит в сторону.

Вивиан: «Они действительно построят мост?»

Владимир: «Да, но это займет некоторое время».

Вивиан: «Тогда тебе придется обходиться здесь без меня. Я должна вернуться в Лос-Анджелес. А тебя ждет твоя жена».

Владимир: «А если я останусь с тобой?»

Вивиан: «Не будем, Владимир, лгать друг другу».

Владимир: «Я не вру тебе. Мой брак распадается, как ваш мост».

Вивиан: «Нам с тобой быть вместе – невозможно. Это мираж. Самообман. Мне пора в Лос-Анджелес».

Владимир: «Ты честно этого хочешь?»

Вивиан отворачивается, чтобы он не видел ее лица.

Вивиан: «Да».

Он протягивает к ней руку, но она, отпрянув от него, уходит. Пересекает полицейский заслон.

Ей кричат из толпы: «Они построят мост? Мисс Вивиан, что они вам сказали? Когда начнут строительство?»

Не отвечая, она удаляется.

В кадре – Вивиан в ее доме спускается по лестнице, волоча тяжелый чемодан. И снова слышит близкий вой серены. Подходит к окну, раздвигает занавески. Видит подъехавший к дому черный лимузин с эскортом полицейских мотоциклистов. Из лимузина выбираются пятеро респектабельных джентльменов. Меж них Вивиан узнает губернатора Рокфеллера и его юридического консультанта Вейна.

В кадре – гостиная дома Спенсеров. На диване сидят Вивиан и губернатор. Перед ними нервно мечется по комнате Вейн. Трое секретарей Рокфеллера выжидающе стоят поодаль.

Вейн: «Безобразие! Воистину, Вивиан, безобразие! Вы осрамили губернатора!»

Вивиан: «Надеюсь, губернатор понимает, что мой отец и я попросту хотели построить мост».

Вейн: «Все знали, что ваш отец неисправимый эксцентрик. Но разве допустимо предпринять такую авантюру без учета ее интернациональных последствий!»

Губернатор: «Спокойнее, Вейн. Я полагаю, что мисс Спенсер учтет наше щекотливое положение…»

Вивиан: «Допустим, губернатор».

Губернатор: «Называйте меня запросто Джеем».

Вивиан: «А вы меня – Вивиан».

Губернатор: «Отлично, Вивиан. Что же касается истории с мостом, то она уже привлекла мое внимание…»

Вивиан: «Насильно».

Губернатор: «Да, согласен. И посему я хотел бы сегодня же покончить с недоразумением более приемлемым способом».

Вивиан: «Что означает ваше желание спровадить русских из Западной Вирджинии?»

Вейн: «Мы, естественно, хотим этого! А то ведь как мы теперь выглядим?!»

Губернатор: «Успокойтесь, Вейн. Я уверен, что мы договоримся с Вивиан».

Вивиан: «Чашку чая, Джей?»

Губернатор: «Дорогой Вейн, мои секретари помогут вам принести из лимузина термос с кофе».

Вейн: «Кофе? Хорошо, принесем...»

Губернатор улыбается. Он придумал благовидный предлог избавиться от Вейна, чтобы столковаться с Вивиан с глазу на глаз. Секретари выпроваживают Вейна из гостиной. Губернатор придвигается на диване к Вивиан.

Губернатор: «Я побеседовал утром с нашим соседом за рекою – губернатором Кентукки».

Вивиан: «Сразу же после появления тут русских?»

Губернатор: «Да. И наш сосед чистосердечно условился со мною изменить срочно и решительно отношение обоих штатов к мосту для Волкана».

Вивиан: «Вы построите мост?»

Губернатор вздыхает. Усмехается. Утвердительно кивает. Он видит, что эту леди ему не обвести вокруг пальца.

Губернатор: «Клянусь, построим».

Вивиан: «Немедленно?»

Губернатор: «Еще быстрее».

Вивиан: «И подпишите сейчас при мне взятое вами обязательство?»

Губернатор: «Увы, у меня нет при себе гербовой печати штата. Поверите моей подписи?»

Вивиан: «Сойдет. Но пошлю за нотариусом».

Губернатор восхищен ее деловой сноровкой и не скрывает этого.

Губернатор: «Хотите получить от меня пост казначея штата?»

Вивиан: «Спасибо, Джей, но у меня иные планы».

Вивиан в первый раз улыбается ему. Он похохатывает. И она тоже смеется. Переглянувшись, они оглушительно хохочут. Входят секретари губернатора и Вейн с кофейным термосом. На них смотрят Вивиан и губернатор, покатываясь со смеху.

В кадре – красный «мерседес» подкатывает к автобусной остановке на безлюдном шоссе. Из «мерседеса» выходят Вивиан и Владимир. Он держит опять свой саквояж, как и несколько дней назад, когда сошел тут с рейсового автобуса. Но теперь Вивиан пытается не смотреть на Владимира. Она хочет скрыть свое настроение.

Владимир: «Еще один ласковый денек...»

Вивиан: «Да».

Владимир: «Мне жаль, что мы не построили мост для вас. Суриков такой зодчий, что мост выстоял бы тысячу лет».

Вивиан: «Все сложилось к лучшему. А мост будут строить благодаря тебе. Без тебя бы...»

Владимир: «Нет, я замышлял все иначе. Если бы мы построили мост, вложили в него наш труд, души, сердца, то этого у вас никогда бы не забыли».

Вивиан: «И так не забудут. Я тебе обещаю...»

Они снова, говоря о мосте, вкладывают в их слова двойственный смысл. На шоссе показывается автобус.

Вивиан: «Вот и все...»

Владимир: «Я напишу о мосте. И вернусь. Ты будешь здесь?»

Вивиан: «Нет. Уеду, как говорила тебе, в Калифорнию».

Автобус приближается к ним.

Владимир: «Помни! Через шесть месяцев! Мост закончат через шесть месяцев. Жди меня! Я вернусь к тебе грядущей весной. Мы начнем жизнь заново!»

Вивиан: «Здесь меня не будет».

Автобус тормозит. Владимир обхватывает Вивиан и целует. Она пытается вырваться, но вместо того обнимает его. Дверцы автобуса распахиваются. Пассажиры приникли к стеклам. Водитель дает протяжный гудок. Вивиан отрывается от Владимира, и он заходит в автобус.

Вивиан: «Это безумие! Меня тут не будет!»

Владимир выпрыгивает из автобуса и целует Вивиан. Пассажиры аплодируют, свистят, смеются. К ним возвращается Владимир, и автобус уезжает. Вивиан потерянно следит, как автобус исчезает за поворотом.

Экран тускнеет, меркнет, гаснет. Звучит лирическая мелодия. Постепенно экран светлеет, и на нем проступают домики Волкана. Поселок зримо оживился: по улице снуют люди, с окон и дверей сорваны доски, из открывшихся лавок выходят покупатели, перед возрожденной школой колготятся малыши.

В кадре – небольшой автомобиль экономичной модели едет по Волкану. За рулем Владимир. Он отрастил усы. Выглядит по одежде как бы американизированным. Останавливает машину у дома Спенсеров. Нажимает дверной звонок. Никто не отзывается. Дверь заперта. Владимир направляется пешком к берегу реки.

У речки сидит под деревом Вивиан. Ее лицо печально. Она отрешенно смотрит на реку. Потом встает с травы и вяло идет к поселку. Но вдруг вздрагивает и застывает: навстречу ей быстро шагает мужчина. Она не верит своим глазам! И все же это он! Она бежит к нему. А он к ней еще стремительней. Он подхватывает ее, сжимает, целует. И в эти секунды их слившиеся фигуры смещаются на экране в таком ракурсе, что позади них возникает мост. Новый мост!

Эпилог

Мост еще не был построен, когда я покинул Волкан. Джон Робинет проводил меня до автобусной станции на речном берегу Кентукки. На прощанье мы с Джоном не лобызались. Это не принято у мужчин в Соединенных Штатах. И не мельтешились вокруг нас американские репортеры: сенсации их прессы ослепительны, но недолговечны, как вспышки фейерверка. Ажиотаж из-за моста для Волкана уже погас. И когда автобус отчалил от остановки, никто из пассажиров, кроме меня, не оглядывался на оставшегося позади на пустом шоссе одинокого человека.

Автобус уносил меня вспять на север по узкой дороге, вихляющей вдоль речки Таг. Ее недавний разлив, словно сбесившееся чудовище, обглодал прибрежные селения. Деревянные домишки возле реки зияли проломами стен. Речные откосы были усеяны грязными досками и ошметками исковерканных оконных рам, столов, табуреток, кроватей. На мелководье торчали облепленные тиной смятые остовы автомобилей, снесенных потоком в реку.

Разговорившись с попутчиками, я выяснил, что здесь на десятки километров к северу от Волкана население страдает ежегодно от разрушительных наводнений. А последний разлив Таг затопил три поселка до самых крыш. Сотням бездомных пришлось пережидать потоп в окрестных сопках Аппалачей. Жители на берегах Таг уже долгие годы просят власти соорудить на реке защитную дамбу, но денег на ее постройку не дает губернатор штата Рокфеллер. В общем, та же история, что и с мостом для Волкана.

Неделю спустя мне позвонил в Нью-Йорк мэр Робинет:

— Помните, я тревожился, что после вашего отъезда администрация может смошенничать насчет ее обещания сделать нам мост?

— Помню

— Так и есть! — воскликнул мэр. — Южнее нашего поселка в речной пойме Таг один крупный землевладелец уговаривает сейчас власти штата сместить стройплощадку обещанного моста от Волкана к угодьям этого богатея. А ему покровительствует губернатор Рокфеллер!

— Что же будет?

— Будет наше неизбежное столкновение с губернатором. А как восприняли в Москве мое письмо?

— Еще неизвестно.

— Но ответ дадут?

— Уверен, что дадут. Хотя я сообщил туда, что ваши власти пошли на уступки вам и обязались построить мост.

— Передайте своим, что нас снова хотят обмануть! Без вашей поддержки мы ничего не добьемся. Уж на вас-то, Иона, мы можем по-прежнему положиться?

— Да, Джон.

Я скрыл от Робинета, что моя статья о речном мосте в Западной Вирджинии не была напечатана в «Литературной газете». Более того, главный редактор «Литгазеты» Александр Борисович Чаковский учинил мне за ту статью грозный нагоняй:

— Что надоумило вас идиотски, Андронов, придать огласке письмо вашего дружка-мэра о его просьбе к Леониду Ильичу Брежневу помочь восстановить мост в американском поселке? Если бы мы это опубликовали, то какой бы поднялся скандальный кавардак! Сотни подобных писем со всей нашей страны полетели бы к президенту США с мольбами починить распавшиеся мосты, заасфальтировать деревенские дороги, построить сгоревшие домишки. Вы это сообразили? Я всегда к вам по-доброму относился и теперь говорю: хватит валять дурака. Продолжайте порученную вам работу.

Перечить ему я счел бесполезным и неразумным. Он по-своему был прав. Без полемики с главным редактором я решился написать служебное письмо в ЦК КПСС лично генсеку Л.И.Брежневу с предложением поддержать все же в виде исключения жителей рабочего поселка Волкан с учетом большого внимания американской прессы к мелкой вроде бы проблеме.

Тем временем одинокий Дон-Кихот из Аппалачей атаковал все-могущего Рокфеллера. Мэр Волкана отправился в столицу штата, со-звал городских журналистов и устроил пресс-конференцию.

– Наш губернатор, – заявил Робинет, – строит из себя демократа. Баллотируясь на выборах, он, Джон Рокфеллер, предлагал избира-телям именовать его без всякой помпы семейным прозвищем Джей. И на обещания простакам он не скупится! Послушайте, какое письмо я от него получил:

«Дорогой мистер Робинет! Я давно осведомлен о транспортной проблеме ваших односельчан в Волкане. И теперь я смогу помочь вам. Учтите, пожалуйста, что Западной Вирджинии больше не нужна негативная шумиха, раздувающая темные аспекты жизни населения нашего штата в отдельных его районах».

– Но сейчас он увиливает от данного обещания! – продолжал мэр. – А я ведь наивно понадеялся, что Джей порядочный парень. Он же не сдержал своего слова. И больше я не доверяю этому типу! Зато надеюсь на русских.

В ответ на дерзкий вызов Рокфеллер презрительно отмалчивал-ся. Однако его секретари связались по телефону с непочтительным крикуном и предложили ему во избежание суровой кары «не выстав-лять нас на посмешище». Они пригрозили расплатой за «публичные оскорбления». И обозвали его в газетах «бузотером».

Тем не менее Робинет повторно решился на неравный поединок с губернатором, когда тот, объезжая свою вотчину с целью завоевать популярность у избирателей, проследовал со своей свитой через го-родок Мэтеван близ Волкана. В минуты торжественного въезда на главную улицу Мэтевана автокортежа губернатора Робинет бросил-ся наперерез лимузину Рокфеллера, вынудил его выйти из машины и выслушать претензии на виду у сбежавшихся горожан. Попав впро-сак, опытный политик не стал перечить своему обличителю при не-желательных свидетелях. Губернатор хладнокровно выслушал Роби-нета, выдавил даже стереотипную улыбку, помахал рукой толпе и уехал. Но с той поры злобно замыслил, как подтвердили последую-щие события, жестоко разделаться с критиком.

И все же Робинет добился краткосрочного позитивного эффекта. Газеты расписали его стычку с Рокфеллером. Подоплека новой сен-сации была двойной. Во-первых, губернатор во время предвыборной кампании больше всего сулил избирателям штата отремонтировать плохие горные дороги, соорудить недостающие мосты, построить плотины против сокрушительных наводнений. Почти ничего из тех обещаний он не выполнил. Тем самым единоборство с ним мэра обманутой деревушки привлекло всеобщее внимание. А кроме того, пресса ухватилась за подвернувшийся повод развлечь публику зрелищным шоу с анекдотическим сюжетом: на Джона Рокфеллера, прозванного не только Джеем, но и «принцем голубых кровей», ополчился безродный и безработный забияка. Уникальный матч: на ринге – принц и нищий! Гонг! Первый раунд! Второй! Делайте ставки, леди и джентльмены! Эй, нищий глупышка, как долго ты продержишься до нокаута?

У двух бойцов газетной баталии было лишь одно сходство: они сверстники. А их весовые категории в пересчете на доллары определились следующим образом: у Рокфеллера – семейный капитал в десять миллиардов долларов. Незадолго до того, как Робинет наскреб у соседей взаймы 15 долларов на оплату его телеграммы в Москву, Рокфеллер израсходовал на свою предвыборную кампанию 13 миллионов, уплатив за каждый поданный за него голос по 30 долларов. После выборов один дотошный репортер спросил губернатора:

– Скажите откровенно, сколько у вас лично денег?

– Если откровенно, – усмехнулся Рокфеллер, – то их у меня во много, много, много раз больше, чем у вас.

Бытует расхожее мнение, что в Америке опознают миллионеров отнюдь не по костюму, а только по чековой книжке. Но это никак не применимо к Робинету и Рокфеллеру. Первый и по его обноскам, и по исхудалому лицу бедняк. Второй – молодцеватый с виду здоровяк, одетый подчеркнуто элегантно, а ростом он в полтора раза выше худосочного мэра. Когда Робинет с юности надрывал здоровье в подземных забоях, наследный принц рокфеллеровских миллиардов благоденствовал в тепличной атмосфере привилегированного Гарвардского университета. Джон Робинет с детства привык жить в бараке, а будущий губернатор Джей рос в роскошном палаццо фамильной усадьбы Покантико. Это поместье Рокфеллеров занимает две тысячи гектаров. Там воздвигнуто несколько дворцов, окаймленных фонтанами, полянами для игры в гольф, садами и рощами экзотических деревьев. На лужайках – павильоны с плавательными бассейнами, теннисными кортами, кегельбаном и бильярдным залом. В конюшнях – отборные рысаки для любителей погарцевать на свежем воздухе. А в гараже для мотопрогулок по обширному парку – бесшумные электромобили. И еще – множество слуг, шоферов, конюхов, телохранителей и сторожей этого рокфеллеровского княжества, превышающего европейское Монако по размеру территории в десять раз.

Зачем, казалось бы, принцу Джею менять его беспечно-сладкую жизнь на хлопотное губернаторство в беспокойной Западной Вирджинии с ее стихийными бедствиями и шахтерскими стачками? А затем, что он в открытую мобилизовал полицию штата на подавление забастовок угольщиков. И тут у него был свой резон: крупнейший в Западной Вирджинии угледобывающий концерн «Консолидейшн коал» принадлежит финансово-промышленной империи Рокфеллеров. Принц из династии ненасытных стяжателей, купив пост губернатора, использовал теперь государственную власть ради умножения своего баснословного капитала.

Но и этого ему было мало. Он разглагольствовал неоднократно в интервью с газетчиками, что у него идеальный пример для подражания – его покойный дядя Нельсон Рокфеллер, бывший губернатором штата Нью-Йорк и вице-президентом США. Этот Рокфеллер при жизни не скрывал своей заветной мечты стать первым в его роду хозяином Белого дома. Он умер, не дойдя до поставленной цели всего один шаг. Был случай, когда его напрямик спросили: «С какой поры вы возмечтали овладеть Белым домом?» И он ответил: «С раннего детства. Уже тогда у меня было все, что пожелаю. О чем же еще, кроме Белого дома, оставалось мечтать?»

О том же возмечтал вслед за ним и его племянник. Газета «Нью-Йорк таймс» авторитетно утверждала, что «принц Рокфеллер нацелился на президентство». И тут он негаданно поскользнулся на ничтожной козявке: нищий мэр из нищенского поселка мог несмываемо запятнать позолоченный «имидж», то есть показной образ честолюбивого принца. Так в начальных раундах схватки с ним Робинет устоял благодаря мастерски набранным очкам.

В ответ на мою челобитную Брежневу мэр Волкана получил из Москвы письмо, подписанное по указанию ЦК КПСС заведующим иностранным отделом «Литгазеты» Олегом Прудковым:

«Уважаемый господин Робинет! В трудную для вас минуту вы вспомнили о нашей стране, о советских людях. Тем самым вы воздали должное добрым чувствам, которые присущи советским людям. Мы выражаем вам наше сочувствие в связи с трудностями, выпавшими на долю жителей вашего поселка. Советский Союз упорно и настойчиво предлагает практические меры к сокращению военных бюджетов и обузданию гонки вооружений ради упрочения мира и с целью высвободить огромные средства на обеспечение жизненного благополучия множества людей, на мирное строительство дорог, мостов, школ, госпиталей, жилых домов. Во имя этих целей Советский Союз твердо намерен и впредь проводить курс на улучшение советско-американских отношений, ибо только такой курс отвечает высшим национальным интересам наших стран. Советские люди всегда стремились и стремятся к взаимопониманию с народом Соединенных Штатов. Это соответствует интересам всех народов мира».

Это была по сути бюрократическая отписка.

Но после этого письма американские газеты опубликовали заявление Робинета:

— Русские следят за тем, что творится с обещанным нам мостом. Если власти его не построят, то русские нам помогут!

Можно вообразить, как свирепо и бессильно поносили неугомонного мэра его недруги в губернаторских апартаментах. И не только там. Телеграфные пресс-агентства процитировали неосторожное высказывание назначенного Рокфеллером начальника департамента транспортных коммуникаций. Этот деятель по имени Чарльз Престон сгоряча сболтнул: «Из Вашингтона нам подсказали: «Постройте, наконец, треклятый мост и заткните глотку этому строптивцу Робинету! История уж слишком позорная для нас. Дошло ведь до международного скандала».

И вот я услышал по телефону ликующий голос Джона Робинета:

— Наши власти объявили, что приступят на днях к строительству моста для Волкана! Передайте в Москву огромное сердечное спасибо от наших людей. Передайте, что у нас на речке Таг будет отныне мост американо-советской дружбы!

Через полгода мост построили, и на церемонию его открытия мэр попросил меня приехать.

За два дня автопутешествия я добрался из Нью-Йорка до знакомой горной речки и пересек ее по новенькому бетонному мосту. Он внешне ничем не примечателен: сероватый, без каких-либо украшений, длиною не свыше ста метров, однопролетный и настолько зауженный, что двум встречным машинам на нем не разминуться. Однако на его открытие съехалось в поселок множество гостей из окрестных городишек, шахтерских селений, фермерских хуторов.

Празднично одетые люди усеяли оба берега реки, разгуливали по мосту, весело толпились вокруг героя торжества – мэра Робинета, который посреди моста гордо размахивал древком его старенького флага со звездами и полосами. Увидев меня, мэр бросился обниматься. И вопреки американским обычаям мы с ним крепко, по-русски, расцеловались.

Знакомые мне и незнакомые жители окружили нас с Робинетом, поздравляли, пожимали руки, смеялись. Какой-то предприимчивый американец в мундире авиатора привез на грузовике к мосту надувной воздушный шар с гондолой, усадил в нее мэра и меня, размотал прицепленный к гондоле канат, и мы вдвоем вознеслись ввысь над мостом.

Мэр кричал: «Ура! Победа!» С земли пронзительно свистели и аплодировали. Детвора верещала: «И мы хотим! И нас покатайте на шаре!» Потом мэр, спустившись наземь, разрезал красную ленту между перилами моста. И разбил об них вместо ритуального шампанского подаренную ему бутылку с вином из Москвы. Робинет во всеуслышание провозгласил: «Наш мост построен благодаря отзывчивости России. Спасибо ей от нас!»

Его слова тогда же передал по телеграфу присутствовавший корреспондент агентства «Ассошиэйтед пресс». Местная газета «Уильямсон дейли ньюс» вышла с аршинным заголовком на первой странице: «Заслуга в постройке моста принадлежит по сути русским».

И все же суть этой истории подметил, по-моему, еще зорче посетивший Волкан американский журналист Дэвид Хесс: «Для большинства здешних обитателей борьба за мост свелась не только к публичной огласке их нужд и не только к удовлетворению их экономической потребности иметь транспортную связь с внешним миром. Они говорят, что хотят добиться от властей уважения к ним как полноправным гражданам. И тем самым хотят обрести духовную веру в свои силы и жизнеспособность их малой общины». Да, новый мост состоял не только из бетонных плит.

Вечером мы с мэром сидели в его бараке, пили пиво, вспоминали пережитое. Я сказал ему, что готовлюсь к отъезду домой. Мы договорились переписываться. Но разговор о завтрашнем дне получился грустным. Робинет рассказал, что губернатор штата, не простив нанесенных обид, допекает теперь мэра исподтишка. По поселку и округе распускают о Робинете гнусные сплетни. Будто он получает секретно деньги от русских. Будто магнаты Голливуда уплатили ему тысячи долларов за право снять фильм о мосте для Волкана.

Будто он стал подпольным миллионером и прячет от всех свои барыши, чтобы не поделиться ни долларом с односельчанами. И будто он ратовал за постройку моста лишь ради наживы и единоличной славы.

– По ночам меня будят анонимными телефонными звонками, – сетовал мэр. – Шипят: «Ты, гадина, продался коммунистам. Берегись, прикончим тебя!»

– Но ведь население поселка за вас?

– Сегодня. А завтра? Люди у нас темные и неискушенные, их легко околпачить, возбудить у них подозрения, зависть, злобу. У нас в штате орудует ку-клукс-клан. Правят антикоммунисты. Один разок я их прижал, но и за это пощады от них не будет…

Наутро мы распрощались. Робинет был немногословен. Приподнятое настроение вчерашнего праздника улетучилось. Да и мне было муторно: увижу ли снова когда-нибудь этого ставшего мне дорогим правдоискателя-одиночку? Вот и последнее наше рукопожатие. Шагаю от его барака к моему автомобилю, а Джон присел на пороге и смотрит молча на меня. Завожу мотор, даю прощальный гудок. Джон утирает рукой глаза. Уезжаю. И помню до сих пор, как сидит он сиротливо на пороге барака и смотрит затуманенным взглядом на уезжающего друга, на мост, на предстоящую ему непростую жизнь.

А в Нью-Йорке меня поджидала связка писем от подражателей мэру Робинету. Бездомный бедняк из Чикаго молил помочь ему найти кров. Заключенные из тюрьмы на юге штата Иллинойс звали немедля прибыть им на подмогу. Вождь индейского племени в Калифорнии просил помочь его сородичам вернуть отнятые у них земли резервации. Фермеры из Джорджии жаловались на обирающих их спекулянтов-перекупщиков сельскохозяйственной продукции. Но что можно было поделать? Я не кудесник. А случай с мостом на речке Таг – редчайшее житейское чудо.

После моего отъезда из США истек год, а от Робинета не пришло ни одного письма. И я из Москвы позвонил ему в Волкан, но вместо мэра ответила телефонистка:

– Телефон под заказанным вами номером отключен.

– Тогда найдите, будьте любезны, в вашем справочнике имя Джона Робинета и сообщите мне номер его телефона.

– Джон Робинет не числится в справочнике телефонов Западной Вирджинии.

– Это точно?

– Да, сэр.

Как же быть? Я вспомнил, что встречался в Нью-Йорке с либреттистом Лоуренсом Дюкором, который сочинял тогда музыкальную пьесу о мосте для Волкана, ездил туда, общался с мэром и прочими сельчанами. Позвонив Дюкору, я услышал от него, что Робинет куда-то запропастился и его местопребывания неведомо. По моей просьбе Дюкор позвонил позже в Волкан, наводил справки у известных ему журналистов в Западной Вирджинии. Потом Дюкор сказал мне по телефону:

– Джон пропал бесследно.

– Не оставил никому своего нового адреса?

– Именно так.

– Что же, Лоуренс, там произошло?

– Раньше, Иона, вы были смекалистый малый.

– Его затравили, и потому он оттуда скрылся?

– Вы попали в точку.

У меня все, что сохранилось с тех дней, это сувениры от Джона Робинета – неувядающая искусственная гвоздика и брошюра киносценария «Мост для Волкана».

В отличие от голливудского сценария я не могу по чисто личной причине завершить свой рассказ счастливым концом – хэппи-энд.

В начале 2003 года в Москве моя жена Валентина пожаловалась на сердечное недомогание. Но она не обратилась сразу к врачам по нашей русской безалаберности. А когда у нее усилились сердечные спазмы весной того же года, то она, наконец, пошла в поликлинику.

Врачи в поликлинике обследовали Валентину и так растревожились ее состоянием, что отправили Валю без заезда домой на машине скорой медпомощи в больницу.

17 июня 2003 года в больнице Вале сделали поспешную и неквалифицированную, как оказалось, операцию шунтирования сердечных сосудов. После операции произошло обильное кровоизлияние. Его не сумели хирурги приостановить. Валя, не приходя в сознание почти трое суток, умерла ранним утром 20 июня.

Я очень любил и люблю Валю. Очень. Я познакомился с ней еще в нашем студенческом общежитии на Воробьевых горах. Мы поженились после окончания университета. Прожили вместе 45 лет. Это были счастливые для меня годы. Мы никогда всерьез не ссорились, не расходились. У меня не было помыслов, как у голливудского Андронова, сбежать от любимой жены на чужбину к заморской бабенке.

Валя была по-русски доброй, красивой, умной, порядочной, интеллигентной. Она много лет проработала в академическом Институте Латинской Америки. Изучала историю католической церкви. Стала доктором исторических наук.

Когда после гибели Вали мне отдали в больнице узелок с ее бытовыми вещицами, то среди них я нашел обращенную ко мне предсмертную записку жены. Она попросила, чтобы ее отпевал знакомый ей католический священник-миссионер из Испании. И он это сделал.

На кладбище над могилой Вали установлен высокий католический крест из черного гранита. Могильный участок составляет четыре квадратных метра. Когда я лягу в землю рядом с Валей, то останутся от меня несколько малоизвестных книжек и частица речного моста в далекой Западной Вирджинии.

Иона Ионович Андронов

Русская любовь янки Джо

Мемуарные рассказы

ООО «Издательство ˝Спорт и Культура – 2000˝»
117292, Москва, ул. Кржижановского, д. 1/19
Тел./факс: (499)125-20-10
www.sport-cultura.ru, e-mail: info@sport-cultura.ru

Директор – А.В. Панурин
Корректор – Т.А. Осипова
Верстка – А.И. Борзенкова

Сдано в набор 11.11.10
Подписано в печать 13.12.10
Формат 60x84/16. Печать офсетная.
Гарнитура «Arial». Объем 13 п. л.
Тираж 3000 экз.

ISBN 978-5-91775-042-2

www.sport-cultura.ru

Изд. №1036. Заказ № 0655
Отпечатано в ордена Трудового Красного Знамени
типографии им. Скворцова-Степанова ФГУП Издательство «Известия» УД П РФ
Генеральный директор **Э.А. Галумов**
127994, ГСП-4, г. Москва, К-6, Пушкинская пл., д. 5
Контактные телефоны: 694-36-36, 694-30-20 e-mail: izd.izv@ru.net